Rendez-vous à risques

Du même auteur
aux Éditions J'ai lu

MON ANGE GARDIEN
N° 9600

CONFLITS, AMOUR ET PRÉJUDICES
N° 9730

L'HOMME LE PLUS SEXY
N° 9829

JULIE

JAMES

Rendez-vous à risques

Traduit de l'américain
par Sophie Dalle

Titre original
A LOT LIKE LOVE

Éditeur original
Berkley Sensation Books, published by The Berkley Publishing Group,
a division of Penguin Group (USA) Inc., New York

À ma sœur,
pour l'histoire de la Barbie Western
et bien d'autres classiques intemporels.

Remerciements

Merci à ma merveilleuse éditrice Wendy McCurdy pour sa perspicacité, ses suggestions, son soutien ; à Susan Crawford, mon agent, pour son dévouement et son immense enthousiasme. Merci aussi à tous les membres de l'équipe chez Berkley pour leur travail acharné et toutes leurs contributions.

Merci à Denis et Martin Cody de m'avoir montré les tenants et les aboutissants du métier de caviste et d'avoir si gentiment répondu à toutes mes questions impertinentes. Merci aussi à l'œnologue et sommelier John Laloganes pour son cours d'œnologie exceptionnel.

Merci à Maria et Brian Guarraci, Matt et Melissa Boresi, Jen Adamo et plus particulièrement à Pete Montenaro, mon nouveau conseiller new-yorkais, pour leurs conseils et leurs histoires de familles italiennes. Si seulement j'avais pu les utiliser toutes – surtout celle du plant de tomates !

Merci à mon beau-père pour son expertise en matière d'investigation et à ses mystérieuses « sources » qui m'ont aidée à développer cette intrigue dans sa phase de démarrage.

Un grand merci à mes fidèles lectrices Elyssa Papa et Kati Daney.

Merci à ma famille et à mes amis pour leur amour, leur soutien et leur patience à mon égard quand j'approche de la date limite de remise d'un texte.

Enfin, merci à mon mari pour son écoute, son aide, ses conseils et sa présence.

1

À l'instant précis où il franchit le seuil du bureau de son patron, Nick McCall sut qu'il se passait quelque chose.

Agent spécial du FBI, il possédait l'art de jauger le langage corporel de ses interlocuteurs et de lire entre les lignes, et savait glaner des informations à partir d'un seul mot mal choisi, d'un seul geste involontaire – un don qui lui rendait d'innombrables services.

En pénétrant dans la pièce, il regarda Mike Davis – agent spécial en charge du bureau de Chicago – triturer son gobelet de café – une manie que ses aînés avaient repérée depuis longtemps. Le message était clair : un problème…

« Encore une mission d'infiltration », songea Nick. Non pas que cela le gênât – depuis quelques années, il ne menait presque plus que des enquêtes de ce genre. Toutefois, il venait à peine de clôturer une affaire particulièrement pénible et ressentait le besoin de s'accorder une pause.

Il prit place dans l'un des fauteuils en face de Davis tandis que celui-ci se mettait à faire tourner entre ses doigts la base du gobelet. Merde ! Il était fichu. Tout le monde savait que c'était le signe d'un souci majeur.

Inutile de tergiverser.

— D'accord. Accouchez...

Davis le gratifia d'un large sourire.

— Bonjour, ravi de vous revoir, moi aussi ! Bienvenue parmi nous. Vous n'imaginez pas combien nos petites conversations m'ont manqué tant que vous étiez sur Cinq Étoiles.

— Pardon... je recommence : je suis content d'être de retour, monsieur. Merci.

— Vous n'avez pas eu trop de mal à retrouver votre bureau ? demanda Davis avec une pointe de sarcasme.

Ignorant cette pique, Nick se cala confortablement dans son siège. Certes, il n'avait pas souvent mis les pieds dans ce bâtiment ces six derniers mois. Et il était heureux d'y revenir. Contre toute attente, il se rendit compte que ces échanges lui avaient manqué, à lui aussi. Son directeur était parfois irritable, mais vu tout ce qu'il devait affronter en tant que responsable de la division, on ne pouvait guère lui en vouloir.

— J'ai erré d'un bout à l'autre de l'étage et j'ai fini par tomber sur une porte arborant mon nom. On ne m'a pas encore jeté dehors, j'en ai donc déduit que je ne m'étais pas trompé... Vous avez pris un peu de gris sur les tempes, patron.

— Je viens de passer six mois à craindre que vous ne bâcliez votre enquête, grogna Davis.

Nick étendit ses jambes devant lui. Il ne bâclait jamais ses enquêtes.

— Vous aurais-je jamais donné une raison de douter de moi ?

— Probablement. Mais vous êtes plus habile que les autres à vous couvrir.

— Exact. Alors ? Vous me l'annoncez, cette mauvaise nouvelle ?

— N'ai-je pas le droit de boire un café en compagnie de mon meilleur agent ?

— Ah, parce que désormais, je suis votre meilleur agent ?

— Vous l'avez toujours été.

Nick haussa un sourcil.

— Pourvu que Pallas ne vous entende pas ! répliqua-t-il, en faisant allusion à un collègue qui avait récemment procédé à plusieurs inculpations très médiatisées.

— Vous et Pallas êtes mes *deux* meilleurs agents, répondit Davis avec le tact d'une mère à qui l'on vient de demander quel est son enfant préféré.

— Bien rattrapé !

— À vrai dire, je ne plaisantais pas en disant que je voulais juste bavarder avec vous. Il paraît que les arrestations de la semaine dernière ont failli mal tourner.

— Cela arrive, éluda Nick. On se présente rarement sous son meilleur jour dans ce genre de circonstances.

Davis l'examina de ses yeux gris et perçants.

— Clore une mission d'infiltration n'est jamais facile, surtout une opération de cette envergure. Vingt-sept officiers de la police de Chicago écroués pour corruption, quel coup ! Vous avez fait du beau boulot, Nick. Le directeur général, que j'ai eu au téléphone ce matin, me charge de vous transmettre ses félicitations personnelles.

— Je suis content que vous et lui soyez satisfaits.

— Je ne peux pas m'empêcher de penser que ces événements ont touché une corde sensible étant donné votre passé...

Ce n'était pas complètement faux : confondre des officiers de police ne figurait pas en haut de sa liste de loisirs favoris. Du sang de flic coulait dans ses veines – il avait lui-même travaillé pour la brigade des mœurs du département de police de New York pendant six ans avant de présenter sa candidature au FBI. Quant à son père, il avait servi le NYPD pendant trente ans avant de partir en retraite et l'un de ses frères avait pris le relais. Mais les vingt-sept individus qu'il avait épinglés le vendredi précédent étaient des ripoux. Selon lui, le fait que les méchants portent un badge ne les rendait que plus méprisables encore.

— Ils avaient les mains sales, Mike. Je suis intervenu sans état d'âme.

— Tant mieux. Voilà qui est réglé. J'ai vu que vous aviez demandé un congé ?

— Je vais passer quelques jours à New York. Une surprise pour ma mère. Elle aura soixante ans dimanche et ma famille a organisé une grande réception.

— Quand partez-vous ?

L'attitude de Davis était nonchalante, mais Nick ne fut pas dupe.

— Ce soir. Pourquoi ? s'enquit-il d'un ton soupçonneux.

— Et si je vous priais de reporter ce voyage de quelques jours ?

— Vous ne connaissez pas ma mère. Si je n'assiste pas à la fête, elle va me culpabiliser pendant le reste de mes jours !

— Ne vous inquiétez pas, le rassura Davis en riant. Vous serez à New York en temps et en heure. Disons... samedi soir, dimanche matin au plus tard.

— Vous plaisantez, j'espère ? J'ai dû m'absenter deux journées tout au plus en six ans de bons et loyaux services. Je mérite des vacances.

Davis redevint grave.

— J'en suis conscient, Nick. Croyez-moi, je ne vous importunerais pas ainsi si ce n'était pas important.

Nick se garda de riposter. Il respectait Davis, qui s'était toujours montré un supérieur hiérarchique franc et juste. Depuis son arrivée au bureau de Chicago, pas une seule fois Nick n'avait entendu Davis demander à quiconque le moindre service. Comment, dans ces conditions, lui refuser quoi que ce soit ?

— Je ne dis pas « oui », soupira Nick. Toutefois, je suis curieux d'en savoir un peu plus.

Sentant que Nick allait capituler, Davis se pencha en avant.

— On pourrait qualifier cela de mission de conseil. Un rebondissement inattendu vient de se produire dans une enquête menée conjointement par la brigade des finances et celle du crime organisé. J'ai besoin de quelqu'un comme vous. La situation pourrait s'envenimer.

— Une affaire de... ?

— De blanchiment d'argent...

— Qui dirige l'investigation ?

— Seth Huxley.

Nick avait aperçu Huxley ici et là dans les bureaux, mais il n'avait jamais discuté avec lui. Sa première – et unique – impression ? Huxley lui avait paru terriblement… organisé. Nick croyait se rappeler que celui-ci avait intégré le FBI par le biais d'études de droit dans une grande université de la côte Est.

— Que voulez-vous que je fasse ?

— Huxley vous mettra au courant. Nous le rencontrons dans quelques instants. Je lui ai bien dit qu'il n'était pas question pour vous de prendre les rênes – il travaille sur ce dossier depuis deux mois déjà.

— Quel sera mon rôle ?

— Vous veillerez à ce que Huxley ne se laisse pas déborder. C'est sa première mission d'infiltration. Je déteste retenir mes agents et Huxley ne m'a donné aucune raison jusqu'ici d'intervenir. Il faut bien débuter un jour ou l'autre. Cependant, Mme la procureure des États-Unis le surveille du coin de l'œil et on ne peut pas se permettre la moindre erreur.

— N'est-ce pas toujours le cas ?

— Si, concéda Davis avec un sourire. Mais cette fois, encore moins que de coutume.

— Vous dites que Mme la procureure fédérale s'en mêle. S'agirait-il de l'affaire Martino, par hasard ?

Davis opina.

— À présent, vous comprenez mieux mon angoisse.

Nick n'avait pas besoin d'explications supplémentaires. Trois mois auparavant, à la suite d'un scandale qui avait conduit à l'arrestation et à la démission de son prédécesseur, on avait nommé une nouvelle procureure, Cameron Lynde. Depuis sa nomination, celle-ci avait fait de l'affaire Martino sa priorité numéro un et – par conséquent – celle du bureau du FBI de Chicago.

Pendant des années, Roberto Martino avait dirigé le plus grand syndicat du crime de la ville. Son organisation était responsable de près d'un tiers du trafic de drogue et ses hommes extorquaient, soudoyaient, menaçaient, tuaient quiconque osait se mettre sur son chemin. Ces derniers mois, le FBI avait arrêté une trentaine de membres du gang, y compris Robert Martino… Une victoire majeure.

Pris depuis six mois par l'opération Cinq Étoiles, Nick ne s'était impliqué dans aucune de ces arrestations. D'autres agents que lui en avaient récolté la gloire, et cela titillait son esprit de compétition.

— Vous voulez en savoir davantage ? lui demanda Davis, une lueur complice dans les prunelles.

« Pourquoi pas ? » songea Nick. Cette histoire serait bouclée en moins d'une semaine. Il ferait profiter un débutant de son expérience, gagnerait la reconnaissance de son patron et chanterait « Joyeux anniversaire » à sa mère dimanche. Il avait tout à gagner…

— Entendu, acquiesça Nick. Allons voir Huxley.

L'agent Huxley les attendait dans la salle de conférence. Nick jaugea son nouveau partenaire : cheveux blonds soigneusement coiffés, lunettes cerclées et costume de qualité. Son regard s'attarda sur le vêtement qu'il portait sous sa veste.

Un gilet.

Pas un gilet pare-balles.

Un chandail col en V, assorti à son complet, sa chemise amidonnée à fines rayures et sa cravate en soie beige.

De son côté, Nick arborait un costume gris, une chemise blanche et une cravate bleu marine. Il avait grandi à Brooklyn, où l'on avait des goûts simples. Certes, en plein février à Chicago, il faisait froid, mais tout de même… D'après Nick, les seuls accessoires que devait s'autoriser un agent du FBI digne de ce nom étaient un étui et un pistolet. Voire une paire de menottes, à l'occasion.

Nick salua Huxley d'un bref signe de tête et prit place en face de lui autour de la table en marbre.

— Donc, commença Davis, j'ai expliqué à Nick que vous étiez sur l'enquête Eckhart depuis deux mois.

— Xander Eckhart ? Le type des restaurants ?

— Et des night-clubs, rectifia Huxley en rajustant ses lunettes, le dos droit comme un I. Eckhart possède trois restaurants et trois bars dans la région de Chicago, tous des établissements haut de gamme. Son joyau est un restaurant français, *Le Bordeaux*, situé à l'ouest du périphérique, au bord du fleuve et doté d'un bar à vins réservé à une clientèle huppée.

— J'ai déjà dit à Nick que cette investigation était liée aux affaires Martino. Si vous partiez de là ? suggéra Davis.

Huxley avait sorti son ordinateur portable dans ce but. Il s'empara d'une télécommande et appuya sur un bouton. Un écran descendit du plafond, l'éclairage se tamisa et il entama sa présentation :

— Suite aux inculpations de Roberto Martino et d'autres membres de son organisation criminelle, nous nous sommes aperçus que l'éventail des activités illégales de Martino était encore plus grand que nous le soupçonnions. Ainsi, ses relations avec cet homme…

Nick découvrit la photo d'un individu d'environ trente-cinq ans aux cheveux châtains mi-longs clairsemés sur le front. Il était encore mieux habillé que Huxley et accompagné d'une jolie brune d'une vingtaine d'années.

— Xander Eckhart, annonça Huxley. La fille ne compte pas, elle n'est que « la fiancée du mois ». En nous basant sur tous les éléments que nous avons rassemblés ces derniers temps, nous pensons qu'Eckhart blanchit de grosses sommes d'argent pour Roberto Martino. Ce dernier mêle son fric aux bénéfices des établissements d'Eckhart – les night-clubs traitant essentiellement en liquide. Eckhart déclare l'argent sale comme une partie de ses revenus et abracadabra, ni vu ni connu ! Nous travaillons en relation avec le fisc sur les déclarations qu'Eckhart a fournies pour ses entreprises ces deux dernières années mais entretemps, la procureure fédérale a souhaité que nous lui présentions des preuves supplémentaires.

— De quoi éveiller l'attention d'un jury, précisa Davis à l'intention de Nick.

Nick comprenait très bien le raisonnement de la procureure. Il en avait fréquenté suffisamment pour savoir qu'ils détestaient les dossiers dans lesquels les témoignages se limitaient à la documentation. Appeler dans le box un enquêteur du fisc qui se contenterait d'analyser des pages et des pages de chiffres ne servirait qu'à endormir les jurés – et à perdre la partie.

— De quelles autres preuves disposons-nous ? demanda Nick.

— J'observe Eckhart depuis quelques semaines et j'ai constaté qu'il rencontrait souvent ce monsieur.

Huxley afficha une autre photo, celle d'un homme approchant la cinquantaine aux cheveux noirs de jais. En par-dessus sombre, col remonté, il pénétrait précipitamment dans un édifice que Nick ne connaissait pas.

— Voici Carlo Trilani devant *Le Bordeaux*. Il s'y est rendu à plusieurs reprises pour retrouver Eckhart, pendant les heures de fermeture. Nous pensons que Trilani est de mèche avec Martino. Hélas, nous n'avons pas de quoi procéder à son arrestation. Avec un peu de chance, nous l'épinglerons en même temps qu'Eckhart.

— J'en déduis que ce qui vous intéresse, ce sont ces réunions...

— Exactement, approuva Huxley. Il nous faudrait un moyen d'écouter leurs conversations.

Nick comprit où Huxley voulait en venir : une surveillance électronique. Une technique souvent employée par le FBI et qui donnait des résultats probants. Tout le problème consistait à installer les engins d'écoute sans éveiller l'attention des suspects. Mais le FBI avait ses méthodes.

— Vous dites qu'ils se voient au *Bordeaux* ?

— Je me suis mal exprimé. Leurs rendez-vous ne se déroulent pas dans le restaurant. Ils ne sont pas naïfs.

Huxley leur montra le plan d'une bâtisse de deux étages.

— Voici le bâtiment abritant *Le Bordeaux*. Le restaurant se trouve au rez-de-chaussée, avec une terrasse surplombant le fleuve. Le bar à vins jouxte la salle à manger... Juste là. Eckhart a un bureau au sous-sol. C'est là qu'il voit Trilani.

— Peut-on atteindre cette pièce depuis le bar ?

— Oui et non, répliqua Huxley en effectuant un zoom sur les salles du rez-de-chaussée. Il existe une porte dans le bar à vins qui mène à un escalier. On voit ici une entrée séparée, voisine de la porte arrière du bar principal… Le hic, c'est que les deux issues qui conduisent au niveau inférieur – ainsi que toutes les fenêtres – sont protégées par un système d'alarme.

— Eckhart possède un dispositif dissocié pour son bureau ?

— J'ai l'impression qu'il se soucie davantage de cet espace-ci, répondit Huxley en désignant une petite pièce au bout du couloir. Ceci est la cave du salon VIP et du restaurant. D'où le système de sécurité : Eckhart y entasse plus de six mille bouteilles. Le *nec plus ultra*. J'ai effectué des recherches. Eckhart est un véritable collectionneur. L'an dernier, il a eu droit dans une prestigieuse revue d'œnologie à un article tout entier consacré à sa personne et à sa cave. Récemment, il a créé un tohu-bohu dans le milieu en misant deux cent cinquante-huit mille dollars sur une caisse d'un vin rare.

— Un quart de million pour du vin ? s'exclama Nick en hochant la tête, incrédule.

— Et je ne vous parle que de douze bouteilles sur six mille, reprit Huxley. D'après nos calculs, Eckhart détient plus de trois millions de dollars de biens liquides et facilement transportables sous son restaurant…

Davis émit un sifflement.

— D'où le système d'alarme.

Nick ricana, peu impressionné. Certes, la collection d'Eckhart valait une fortune mais après tout, ce n'était que du vin. Qu'on le croie peu raffiné, tant pis ! Il n'allait pas se mettre dans tous ses états pour quelques litres de jus de raisin fermenté. Une boisson d'homme devait vous brûler l'œsophage. Un bon bourbon, par exemple.

— Qui a accès aux codes ?

— Eckhart et ses deux directeurs généraux, dont l'un doit toujours être présent au *Bordeaux* durant les heures d'ouverture. D'après nos rapports, les codes sont modifiés toutes les semaines.

— Quels rapports ? demanda Nick.

— Il y a quelques semaines, nous avons posté un de nos agents féminins derrière le bar. Nous comptions sur elle pour accéder au sous-sol mais le dispositif d'Eckhart présente un défi inattendu.

Nick haussa les épaules.

— Je ne vois pas l'utilité de cette initiative. L'étape suivante me paraît simple : on obtient un mandat obligeant la société de sécurité à nous communiquer les codes. Puis on y pénètre la nuit et on place nos mouchards.

— Malheureusement, c'est impossible. Eckhart s'est adressé à l'entreprise RLK Sécurité. Nous nous sommes renseignés. Elle est spécialisée dans la protection des demeures particulières. Entre autres, celle de Roberto Martino.

La méticulosité de Huxley impressionna Nick.

— Je doute que ce soit une coïncidence. J'imagine que Martino a donné le tuyau à Eckhart dès qu'ils ont commencé à faire affaire ensemble.

— Quoi qu'il en soit, nous sommes dans une impasse. Toute personne en qui Martino a confiance est un ennemi du FBI.

Loin de Nick l'idée de le contredire sur ce point.

— Par conséquent... ?

Huxley jeta un coup d'œil vers Davis.

— Par conséquent, on agit en toute transparence. Tous les ans, le jour de la Saint-Valentin, Eckhart organise un grand bal de charité au *Bordeaux*. Cent invités, cinq mille dollars par tête. Et – cerise sur le gâteau – chaque convive peut demander à goûter certains de ses vins les plus rares. Par mesure de précaution, un vigile est posté dans une salle privée près de la cave mais les amateurs sont autorisés à descendre au sous-sol. Ce qui signifie qu'un agent infiltré pourrait s'éclipser au cours de la fête, s'introduire dans le bureau d'Eckhart et y placer les mouchards... Moi, en l'occurrence, ajouta-t-il après s'être éclairci la gorge.

Quelque chose clochait.

— Pourquoi ne pas confier cette mission à la femme qui s'y trouve déjà ?

— C'était ce que nous avions prévu à l'origine, répliqua Huxley. Mais l'agent Simms a appris que les employés ne sont pas autorisés à descendre au sous-sol au cours de la réception – Eckhart engage un sommelier pour l'occasion. Toutefois, tout n'est pas perdu : Simms pourra le couvrir.

— Et comment avez-vous l'intention d'entrer ? Je doute fort que le FBI figure sur la liste d'Eckhart.

— En effet. Je vais donc me présenter comme le chevalier servant d'une invitée.

Nick se cala dans son siège.

— Ce qui entraîne l'implication d'une civile...

En général, il hésitait à procéder ainsi mais parfois, les circonstances l'exigeaient.

— C'est une mesure ponctuelle et les risques sont minimes : elle n'aura rien d'autre à faire que d'assister à la fête. Une fois à l'intérieur, je prendrai le relais.

Davis s'exprima pour la première fois depuis que Huxley avait commencé à décrire la mission.

— Qu'en pensez-vous, Nick ?

— Je ne dis pas que c'est impossible. Mais de toute évidence, ce n'est pas le moyen le plus classique de planter des mouchards. Le plus compliqué sera de dénicher une personne qui accepte de jouer le jeu.

Efficace jusqu'au bout des ongles, Huxley se tourna vers son ordinateur.

— J'ai déjà épluché la liste des invités. J'ai la candidate parfaite.

— Simple curiosité... votre présentation est encore longue ? demanda Nick.

— Plus que dix-huit diapos.

— Il va nous falloir plus de café, marmonna Nick à Davis.

Puis, levant les yeux, il vit à l'écran la photo de la jeune femme que Huxley envisageait d'entraîner dans l'opération Eckhart.

Il la reconnut immédiatement. Non parce qu'il l'avait rencontrée mais parce que tout le monde à Chicago – et sans doute à travers le pays tout entier – la connaissait de vue.

— Jordan Rhodes ? C'est la femme la plus riche de la ville !

— Pas tout à fait, riposta Huxley. N'oubliez pas Oprah.

— Et la famille Pritzter, intervint Davis.

— Exact. Jordan Rhodes doit tourner autour de la quatrième place.

— Peu importe, grommela Nick.

— D'un point de vue purement technique, l'argent appartient à son père, pas à elle. Dans le magazine *Forbes*, la fortune de Grey Rhodes s'élève à 1,2 milliard de dollars.

— Et vous voulez entraîner la fille de ce type dans une mission d'infiltration ? s'insurgea Nick. Vous n'avez rien de mieux à proposer ?

— Nous n'avons ni le temps ni l'opportunité d'interviewer d'autres candidates. Il nous faut quelqu'un dont nous sommes certains qu'elle acceptera de nous aider. Quelqu'un de motivé.

Nick contempla le portrait de Jordan Rhodes et convint, à contrecœur, que Huxley avait raison. Riche ou pas, ils avaient une influence significative sur elle.

— Quoi, McCall ? railla Davis. Vous craignez qu'elle ne soit hors de votre portée ? Professionnellement, j'entends.

Nick ravala un rire. Ces six derniers mois, il avait endossé tous les rôles, de dealer de drogue à cambrioleur en passant par celui de faussaire ; il avait passé près de trente nuits en prison et il avait bouclé vingt-sept flics corrompus. Il n'allait pas se laisser intimider par une richissime héritière, tout de même !

Xander Eckhart était désormais sa cible, du moins pour les cinq jours à venir et Jordan Rhodes semblait leur meilleur choix pour réussir l'opération. Il n'était plus question de savoir *si* elle coopérerait mais *quand*.

Nick adressa un signe de tête à Davis.

— C'est bon, patron. Vous pouvez compter sur moi.

2

Le carillon de la porte d'entrée du magasin retentit et Jordan Rhodes émergea de l'arrière-boutique où elle s'était réfugiée pour déjeuner en vitesse. Elle adressa un large sourire à son client.

— Encore vous !

C'était le type de la semaine précédente, celui qui avait paru sceptique quand elle lui avait recommandé un cabernet d'Afrique du Sud dans une bouteille – sacrilège ! – à bouchon vissant.

— Alors ? Qu'avez-vous pensé de l'excelsior ?

— Vous avez bonne mémoire, répondit-il, impressionné. Vous aviez raison. Il est excellent. Surtout à ce prix.

— Donné, vous voulez dire…

Le regard azur de l'homme s'illumina. Vêtu d'une veste bleu foncé et d'un jean, il était chaussé de mocassins italiens – beaucoup trop beaux pour braver les dix centimètres de neige prévus par la météo dans la soirée. Le vent avait ébouriffé ses cheveux châtain clair.

— Vous m'avez convaincu. Donnez-m'en une caisse. J'organise un dîner dans quelques semaines et ce vin sera parfait.

Il ôta ses gants de cuir et les posa sur le comptoir en ébène qui faisait aussi office de bar.

— Je pense le servir avec un gigot d'agneau badigeonné de moutarde à l'ancienne et accompagné de pommes au romarin.

Jordan haussa un sourcil.

— Très tentant.

L'excelsior accompagnerait à merveille ce menu, dut-elle admettre, même si elle-même était plutôt du genre à prôner la liberté et répugnait à accorder systématiquement chaque plat à un vin – ce qui n'avait de cesse de scandaliser son assistant, Martin. Sommelier de haut vol, il avait une vue assez arrêtée sur les choses alors qu'elle, propriétaire du magasin, visait davantage à rendre la dégustation de grands crus abordable aux néophytes. Certes, elle aimait le vin – raison pour laquelle elle avait ouvert cet établissement, *Les Caves Delavigne*. Mais à ses yeux, il s'agissait aussi d'un business.

— J'en déduis que vous êtes un fin cuisinier, dit-elle avec un large sourire.

« Beaux cheveux », nota-t-elle. Bien coiffés, un peu longs. Il portait une écharpe grise drapée autour du cou qui lui conférait un air à la fois sophistiqué et nonchalant.

Il haussa les épaules.

— Je m'y connais. Cela fait partie de mon métier.

— Laissez-moi deviner… Vous êtes chef !

— Critique gastronomique attitré du *Tribune*.

Jordan inclina la tête.

— Vous êtes Cal Keetredge !

Il parut flatté.

— Vous avez lu mes papiers.

« Ainsi que beaucoup d'autres… »

— Religieusement. Vu l'abondance des restaurants dans cette ville, c'est toujours agréable d'avoir l'avis d'un expert.

Cal s'accouda au comptoir.

— Expert… vous exagérez, Jordan.

Il connaissait son prénom.

Comme beaucoup de gens, hélas. Entre la fortune de son père et la récente infamie de son frère, rares étaient ceux, du moins à Chicago, qui n'avaient jamais entendu parler des membres de la famille Rhodes.

Jordan se déplaça pour ouvrir son ordinateur portable.

— Alors, une caisse d'excelsior… Voyons… Je peux vous l'avoir pour la semaine prochaine.

— Excellent. Je vous paie maintenant ou plus tard ?

— À votre guise. Je vous fais confiance. De toute façon, si vous tentez de vous dérober, je saurai où vous trouver.

D'accord, elle flirtait vaguement. Peut-être un peu plus que vaguement. Depuis quelques mois, le clan Rhodes vivait sous les projecteurs à cause des frasques de son frère et Jordan n'avait pas eu le cœur à batifoler. Mais la situation semblait enfin s'arranger – si tant est que cela fût possible car son jumeau était derrière les barreaux – et elle avait envie de s'amuser un peu. L'objet de son désir étant raffiné et fin connaisseur de la gastronomie, pourquoi s'en priver ?

— Je devrais peut-être vous poser un lapin. Juste pour vous obliger à venir à ma recherche, la taquina-t-il. Vous qui avez lu mes articles, j'espère que vous avez confiance en mes opinions sur les restaurants ?

Jordan lui jeta un coup d'œil par-dessus l'écran de son ordinateur tout en achevant sa manipulation.

— Autant que n'importe quel inconnu sur n'importe quel sujet, je suppose.

— Tant mieux. Parce que j'ai découvert un petit resto thaï qui vient d'ouvrir, rue Clark. Il est fantastique.

— Ravie de l'apprendre. J'irai un de ces jours.

Pour la première fois depuis qu'il avait franchi le seuil de la boutique, Cal parut incertain.

— Ah... En fait, euh... j'aurais voulu vous y emmener.

Jordan ébaucha un sourire. Elle avait bien compris ses intentions, mais une petite sonnette d'alarme retentissait dans son cerveau et elle se demandait combien de femmes avant elle Cal Kittredge avait séduites par ce biais. Certes, il était charmant, affable. Un peu trop, peut-être ?

— Voici ce que je vous propose : quand vous reviendrez chercher votre caisse de vin, nous en reparlerons.

Cal sembla surpris par sa dérobade mais pas forcément offusqué.

— D'accord.

— On verra.

— Vous êtes toujours aussi dure avec vos clients ?

— Uniquement avec ceux qui veulent m'emmener dans un nouveau restaurant thaï.

— La prochaine fois, je vous suggérerai un italien.

Cal la gratifia d'un clin d'œil, ramassa ses gants et sortit. Jordan le regarda passer devant la vitrine et constata que quelques flocons de neige commençaient à virevolter. Une fois de plus, elle se félicita d'habiter à cinq minutes à pied du magasin. Et de posséder une bonne paire de bottes fourrées.

— Mon Dieu ! J'ai cru qu'il ne partirait jamais !

Se retournant, Jordan découvrit derrière elle son assistant. Martin s'approcha avec la caisse de zinfandel qu'il venait de remonter de la cave. Il la posa sur le comptoir et repoussa les boucles auburn tombées sur son front.

— Ouf ! J'ai cru qu'il ne s'en irait jamais ! Je ne voulais pas vous déranger. J'ai bien vu qu'il vous reluquait lorsqu'il est passé, la semaine dernière. Apparemment, je ne m'étais pas trompé.

— Qu'avez-vous entendu, au juste ? lui demanda Jordan en l'aidant à déballer les bouteilles.

— Cal Kittredge, en chair et en os ! souffla-t-il, admiratif.

Âgé de vingt-sept ans, très érudit, Martin ne cherchait pas à dissimuler sa passion à la limite du snobisme pour la grande cuisine et les vins fins. Toutefois, ses connaissances en matière d'œnologie étaient immenses et Jordan imaginait mal gérer son commerce sans lui.

— Il m'a invitée à l'accompagner dans un nouveau restaurant thaï, rue Clark.

— Vraiment ? s'écria-t-il, impressionné. J'essaie d'y réserver une table depuis deux semaines ! Quelle chance pour vous ! Si vous sortez avec Cal Kittredge, vous pourrez accéder à toutes les grandes tables de la ville. Gratuitement !

Jordan demeura silencieuse. Elle s'empara de deux bouteilles de zinfandel et alla les placer dans une corbeille à l'entrée du magasin.

— Ah oui, c'est vrai, enchaîna Martin. J'oublie que vous êtes milliardaire. Vous n'avez pas besoin de lui pour réserver dans les meilleurs restaurants.

Elle lui coula un regard noir.

— Je ne suis *pas* milliardaire ! rétorqua-t-elle, exaspérée.

Chaque fois que l'on parlait d'argent, elle avait droit à ce genre de réflexion. Elle supportait celles de Martin parce qu'elle l'aimait bien, mais à part avec lui et ses amis les plus proches, elle évitait d'aborder ce sujet.

Ce n'était pourtant pas un secret : son père était riche. Très riche, même. Pourtant, elle n'avait pas grandi dans l'opulence. Son père, un génie de l'informatique comme son frère, était l'un de ces hommes que les magazines *Forbes* et autres *Newsweek* adoraient mettre en avant. Diplômé de l'université de l'Illinois, Grey Rhodes avait ensuite suivi des cours de management avant de créer sa propre entreprise à Chicago. Il avait alors développé un programme de protection antivirus qui avait connu un succès mondial. Deux ans après sa mise sur le marché, le logiciel de Rhodes équipait un ordinateur sur trois en Amérique du Nord – un chiffre que son père s'appliquait à marteler lors de toutes ses interviews. Puis l'argent s'était mis à couler à flots.

Jordan était consciente que la réussite de son père pouvait inciter certains à juger son style de vie. À tort ou à raison. Dès qu'il avait empoché son premier million, Grey Rhodes avait instauré des règles : Jordan et son frère Kyle devraient faire leur propre chemin – comme lui. Depuis qu'ils avaient atteint l'âge adulte, ils étaient indépendants financièrement et ils y tenaient l'un comme l'autre. D'un autre côté, leur père les avait couverts de cadeaux extravagants, surtout après le décès de leur mère, neuf ans plus tôt. Pour preuve, la Maserati dans le garage de Jordan, qu'il lui avait offerte pour fêter son diplôme de fin d'études.

— Nous avons déjà eu cette conversation, Martin. C'est la fortune de mon père, pas la mienne.

Jordan s'essuya les mains avec le torchon qu'elle cachait sous le comptoir…

— Mais cette boutique est à moi, enchaîna-t-elle avec une pointe de fierté.

Elle avait de quoi se féliciter car *Les Caves Delavigne* avaient maintenant pignon sur rue. Elle n'avait pas prévu une réussite aussi rapide mais elle avait déjà largement de quoi s'offrir une belle maison dans le quartier chic de Lincoln Park, descendre dans de grands hôtels lorsqu'elle voyageait et s'acheter des chaussures de marque. Que demander de plus ?

— Possible. Mais grâce à votre nom, vous pouvez dîner où vous voulez.

— Si cela peut vous consoler, je paie toujours l'addition.

Martin hocha la tête.

— Mouais… Alors ? Vous allez accepter ?

— Accepter quoi ?

— L'invitation de Cal Kittredge ?

— Je vais y réfléchir.

Son côté trop lisse la gênait un peu. Mais il était gastronome et il savait faire la cuisine. Une perle rare.

— Vous devriez le mener un moment par le bout du nez, murmura Martin. L'inciter à revenir plusieurs fois vous racheter des caisses de vin avant de vous engager.

— Excellente idée ! On pourrait même distribuer des cartes de fidélité. Au bout de six achats, on a droit à une soirée avec la propriétaire…

— Je décèle dans votre voix une note de sarcasme, lança Martin. Dommage, car l'idée de la carte de fidélité n'est pas si mauvaise.

— On pourrait vous proposer comme récompense.

Martin poussa un soupir et s'adossa contre le bar. Son nœud papillon du jour était rouge, une couleur qui mettait en valeur la nuance chocolat de sa veste en tweed.

— Malheureusement, on ne m'apprécie pas à ma juste valeur, gémit-il, résigné. Un pinot léger dans un monde de cabernets bien charpentés !

Jordan posa une main compatissante sur son épaule.

— Peut-être n'avez-vous simplement pas encore atteint votre apogée...

— En d'autres termes, vous me comparez à un pinot Pahlmeyer ?

— Oui.

— On attend beaucoup du pahlmeyer, vous savez.

— Alors restons aux aguets !

Cette pensée sembla égayer Martin. Ayant recouvré sa bonne humeur, il descendit à la cave chercher une autre caisse de zinfandel pendant que Jordan regagnait l'arrière-boutique pour finir son déjeuner. Il était plus de 15 heures : si elle ne mangeait pas maintenant, elle n'aurait plus l'occasion de se restaurer avant la fermeture, à 21 heures. Bientôt, les clients allaient affluer.

Le vin était à la mode et c'était l'un des rares secteurs à fleurir en dépit de la crise économique. Mais Jordan aimait à croire que le succès de sa boutique était dû à d'autres facteurs.

Elle avait passé des mois à dénicher le lieu idéal : dans une rue fréquentée par de nombreux piétons, assez vaste pour accueillir quelques tables et chaises en plus des rayonnages. Les murs en briques rouges rehaussés de couleurs chaleureuses invitaient à la flânerie…

Sa meilleure initiative avait été de solliciter une autorisation lui permettant de servir ses vins sur place. Presque tous les jours, aux alentours de 17 heures, elle était littéralement envahie de dégustateurs qui repartaient toujours avec une ou plusieurs bouteilles.

Ce ne serait pas le cas aujourd'hui.

Dehors, la neige continuait à tomber. En début de soirée, les météorologues avaient révisé leurs prévisions et annoncé une chute de plus de quinze centimètres. Du coup, les gens se terraient chez eux. Le groupe qui devait venir pour un cours d'œnologie avait annulé la séance. Martin habitant relativement loin, elle le renvoya plus tôt chez lui et décida de fermer à 19 h 30.

Une fois les rayonnages en ordre, elle se rendit dans l'arrière-boutique pour brancher l'alarme. Elle s'apprêtait à enfiler ses bottes quand elle entendit le carillon.

Un client. Quelle surprise !

Elle alla l'accueillir.

— Vous avez de la chance. Je m'apprêtais à fer…

Les mots moururent sur ses lèvres lorsqu'elle vit les deux hommes et un frisson lui parcourut l'échine. Son regard s'attarda sur celui qui se tenait le plus près de la porte – il ne ressemblait pas à ses clients habituels. Cheveux châtain foncé, barbe naissante, il avait un air de mauvais garçon. Il était grand et semblait bien bâti sous son manteau de laine noir.

Ce type n'avait rien d'un amateur de mocassins italiens. Contrairement à Cal Kittredge, il possédait une beauté virile. Ses yeux étaient verts et étincelants comme des émeraudes.

Il s'avança d'un pas.

Jordan recula.

Il esquissa un sourire, comme si sa réaction l'amusait. Jordan se demanda si elle avait le temps d'atteindre le bouton d'alerte sous le comptoir.

L'autre, un blond à lunettes en imperméable beige, s'éclaircit la gorge.

— Êtes-vous Jordan Rhodes ?

— Oui.

Il sortit un badge de sa poche.

— Je suis l'agent Seth Huxley et voici l'agent Nick McCall. FBI.

Le FBI ? La dernière fois qu'elle avait eu affaire à cette organisation, c'était le jour où l'on avait inculpé Kyle.

— Nous souhaiterions discuter avec vous d'une affaire concernant votre frère.

L'estomac de Jordan se noua mais elle se força à rester calme.

— Il est blessé ?

Depuis quatre mois qu'il était en prison, il avait déjà été victime de plusieurs altercations. Apparemment, certains de ses codétenus croyaient qu'il serait une cible facile vu son passé. Kyle l'avait assurée qu'il tenait le coup mais chaque jour, elle craignait un coup de fil annonçant une mauvaise nouvelle. Que le FBI envoie deux de ses agents à sa boutique en plein blizzard n'augurait rien de bon.

Le brun s'exprima d'une voix grave.

— Votre frère va bien. Du moins à notre connaissance.

— À votre connaissance ? J'ai cru qu'il avait disparu ou… Oh, non ! Ne me dites pas qu'il s'est évadé !

Kyle ne commettrait jamais un acte aussi stupide. Certes, il s'était comporté comme un imbécile, ce qui lui valait d'être derrière les barreaux aujourd'hui, mais il ne recommencerait plus. D'ailleurs, il avait plaidé coupable. Il avait tenu à admettre ses erreurs et à en payer les conséquences.

— Évadé ? Intéressant, susurra McCall en l'examinant de bas en haut. Avez-vous des informations à partager avec nous, mademoiselle Rhodes ?

Cet individu la mettait mal à l'aise. Elle n'avait aucune envie de se montrer aimable avec des membres du FBI. Kyle avait fauté mais il n'avait tué personne ! Il avait simplement provoqué la panique et le chaos… chez environ cinquante millions de personnes.

— Vous avez dit que vous vouliez me parler de mon frère. En quoi puis-je vous être utile, agent McCall ?

— Hélas, je ne suis pas en mesure de vous fournir tous les détails ici. L'agent Huxley et moi-même préférerions poursuivre cette conversation dans les bureaux du FBI.

— Je suis certaine que les bordeaux sauront se taire.

— Je ne fais guère confiance aux bordeaux, riposta McCall.

— Ni moi au FBI.

— Je comprends votre hésitation, mademoiselle Rhodes, intervint Huxley, mais comme vient de l'indiquer mon collègue, il s'agit d'une affaire confidentielle. Une voiture nous attend dehors et nous apprécierions que vous nous accompagniez.

— Bien. J'appelle mon avocat et je lui demande de me rejoindre.

— Pas d'avocat, mademoiselle Rhodes. Juste vous, assena McCall.

Jordan demeura impassible mais intérieurement, elle bouillonnait.

— Vous allez devoir faire un petit effort, agent McCall. Vous venez me chercher dans ma boutique en pleine tempête de neige. Cela signifie que vous me voulez quelque chose et j'aimerais savoir quoi.

Il parut réfléchir. Jordan eut l'impression qu'il envisageait de la hisser par-dessus son épaule comme un sac de pommes de terre – c'était tout à fait son genre.

Au lieu de quoi, il s'approcha d'elle et la toisa.

— Que diriez-vous si l'on vous promettait de libérer votre frère, mademoiselle Rhodes ?

Sidérée, elle scruta son regard. En vain, car Nick McCall ne trahissait jamais ses sentiments.

Un élan d'espoir la submergea. Pouvait-elle le croire ?

— Je file chercher mon manteau.

3

Le trajet jusqu'aux bureaux du FBI fut plus long que prévu à cause du mauvais temps. Les routes étaient très glissantes mais le véhicule tout-terrain accomplit le parcours sans trop de problèmes. Malgré la neige et le verglas, Nick s'octroya le luxe de jeter un coup d'œil à sa passagère dans le rétroviseur.

Jordan Rhodes... Une milliardaire sur la banquette arrière de sa Chevrolet Tahoe ! Il n'était pas habitué à terminer ainsi ses journées de travail.

Muette, elle regardait par la fenêtre. Ses cheveux blonds cascadaient sur ses épaules et elle repoussa distraitement une mèche tombée sur ses yeux. Elle portait un manteau noir, une écharpe en cachemire – du moins le pensait-il – blanc cassé et des gants assortis.

Hormis les photos que Huxley avait incluses dans sa présentation, il avait eu l'occasion d'en voir beaucoup d'autres. Vu la situation de sa famille et l'intérêt public pour le scandale dans lequel avait été impliqué son frère, tous les journaux, toutes les chaînes câblées de la télévision et l'Internet avaient largement couvert l'arrestation et le procès de Kyle Rhodes. Nick se rappelait avoir aperçu plusieurs clichés représentant Jordan et son père à la sortie du tribunal.

En toute objectivité, elle était éblouissante. Sa chevelure longue et soyeuse, sa silhouette svelte, et ses yeux bleus comme la mer des Caraïbes avaient de quoi séduire n'importe quel homme. Sa tenue élégante et ses bottes à talons aiguilles lui faisaient penser aux New-yorkaises très chics qu'il avait pu croiser du temps où il vivait à Manhattan.

Pas du tout son style.

Primo, il préférait les brunes aux formes généreuses. Les femmes sans relation directe avec un homme détenu dans une prison de haute sécurité et dénuées d'un héritage équivalant au produit national brut d'un pays africain. Une telle fortune devait vous rendre... bizarre. Snob et hautaine. Pour preuve, ces fichues bottes à talons aiguilles...

En la voyant serrer les mâchoires, il se rendit compte qu'elle se savait observée.

Elle ne semblait guère l'apprécier. Aucune importance. L'avantage de cette mission, c'était qu'il n'avait pas à se soucier de l'opinion de Jordan Rhodes. Huxley serait son chevalier servant à la réception d'Eckhart – à lui de déployer ses charmes. À supposer qu'il en possède...

Nick n'avait qu'une seule responsabilité : s'assurer de la coopération de la jeune femme. À cette fin, il avait besoin qu'elle réponde à quelques questions.

— Comment vont les affaires en ce moment ?

Jordan rencontra son regard dans le miroir.

— Inutile de me faire la conversation, agent McCall. Je suis consciente qu'il ne s'agit pas d'une visite de courtoisie.

Il haussa les épaules.

— Que dire ? Je ne suis pas un adepte des silences inconfortables.

— Ils vous mettent mal à l'aise ?

Nick dut retenir un sourire. Impertinente, en plus !

— Quel sale temps, intervint Huxley dans l'espoir d'alléger l'atmosphère. Heureusement que vous avez un 4 × 4, Nick.

— En effet, concéda-t-il. Mais une Tahoe, c'est beaucoup moins drôle à conduire qu'une Maserati.

Jordan le fixa avec un mélange de surprise et d'irritation.

— Vous connaissez le modèle de ma voiture ?

— Je sais beaucoup de choses sur vous. Faites-moi confiance, j'ai des fichiers entiers remplis de questions agaçantes. Celle concernant votre business me semblait figurer parmi les plus inoffensives.

Elle poussa un soupir de résignation.

— De ce côté-là, tout va bien.

— Je suis curieux : quel est votre client-type ? Votre magasin est-il surtout fréquenté par des amateurs éclairés ou des habitants du quartier ?

— Un peu tout le monde. Certaines personnes commencent tout juste à s'intéresser au vin et cherchent un endroit confortable où parfaire leurs connaissances. D'autres sont des experts qui aiment venir déguster nos nouveautés dans une ambiance décontractée. Enfin, il y a ce que j'appellerais les collectionneurs.

Comme l'avait prévu Nick, elle se détendait dès qu'elle évoquait son métier. Tant mieux.

— Personnellement, j'ignore tout en ce domaine. J'ai entendu parler d'un citoyen de Chicago qui avait dépensé plus de deux cent cinquante mille dollars pour une caisse de vin… Vous le croyez,

Huxley ? Deux cent cinquante mille dollars ! Vous êtes une spécialiste, mademoiselle Rhodes… Dans votre univers, qu'obtient-on pour une somme pareille ?

— Un château-mouton-rothschild 1945.

— Ouf ! Vous n'avez pas hésité une seconde. J'en déduis que vous êtes au courant de cette vente aux enchères ?

— Évidemment. C'est même moi qui ai prévenu le client. J'étais certaine qu'il serait intéressé.

— Il avait un drôle de nom… Il est propriétaire d'un restaurant ou d'un bar, je crois ?

Huxley tourna la tête vers Nick mais se tut, comprenant que l'interrogatoire de Jordan Rhodes avait débuté.

— Xander Eckhart, répondit-elle.

— Ce doit être agréable d'avoir des clients qui dépensent autant pour du vin.

L'espace d'un éclair, elle se lâcha.

— Malheureusement, c'est Sotheby's qui a récolté l'argent, répliqua-t-elle avec un sourire. Mais, oui, Xander est un bon client.

— Vous le connaissez bien ?

— Assez.

— C'est-à-dire ?

Elle marqua une pause et il nota qu'elle s'était raidie.

— Vous voulez que je vous parle de Xander. C'est de lui qu'il s'agit, n'est-ce pas ?

— En effet.

Elle parut sincèrement choquée.

— Qu'est-ce qui vous pousse à enquêter sur cet homme ?

Mais Nick était déjà passé en mode interrogatoire.

— Comment décririez-vous vos relations avec Eckhart ?

— Xander se fournit chez moi depuis quelques années. Je passe souvent des commandes spéciales pour lui, des vins coûteux ou rares que l'on ne peut pas se procurer chez un distributeur classique.

— L'avez-vous rencontré en dehors de votre boutique ?

— Je devrais peut-être contacter mon avocat. Je me sens tout à coup très mal à l'aise, agent McCall.

— Je ne vois pas pourquoi.

Elle changea de position, croisant une jambe par-dessus l'autre.

— Si vous alliez droit au but ?

— Vous arrive-t-il de retrouver Eckhart dans des soirées mondaines ?

— De temps en temps. Nous avons des relations communes, c'est donc inévitable. De surcroît, chaque année, j'assiste au grand bal de charité qu'il organise au *Bordeaux*. Une fête qui se tiendra ce week-end, d'ailleurs.

— Vos liens se limitent à cela ?

Elle accrocha son regard dans le rétroviseur.

— Oui, pourquoi en serait-il autrement, agent McCall ?

— Que partagez-vous avec Eckhart ?

— L'amour du bon vin, rétorqua-t-elle d'une voix rauque.

De nouveau, elle tourna la tête vers la fenêtre. Le message était clair : *la conversation était terminée*.

Lorsqu'ils arrivèrent devant l'immeuble en verre et en acier du FBI, Nick se gara sur un emplacement tout près de l'entrée. Le parking était pratiquement désert – à cause de la tempête de neige, tout le monde était parti tôt. D'un signe de tête, il indiqua à Huxley qu'il se chargeait de Jordan et descendit du véhicule pour ouvrir la portière arrière.

La jeune femme s'extirpa avec précaution de l'habitacle et se retrouva presque nez à nez avec lui.

De gros flocons tournoyaient autour d'eux, s'incrustant dans ses cheveux. Sa voix était grave, le ton aussi glacial que le vent.

— La prochaine fois que vous voudrez me soutirer un renseignement, agent McCall, évitez de m'embobiner avec des paroles mielleuses.

— Sachez, mademoiselle Rhodes, que lorsque je cherche à embobiner une femme, elle s'en rend compte tout de suite.

Par politesse, il lui tendit le bras.

— Vous n'irez pas bien loin avec ces machins aux pieds, constata-t-il.

Elle ignora son geste et s'éloigna de la voiture, bravant la chaussée verglacée jusqu'à l'entrée du bâtiment.

Par chance, elle ne dérapa pas une seule fois.

Huxley s'immobilisa près de Nick.

— Vous auriez pu me prévenir que vous aviez l'intention de commencer à la cuisiner en route. Pourquoi ne pas avoir attendu d'être ici ?

— Je voulais la prendre de court. Nous devons être sûrs qu'elle n'est pas l'une des fiancées du mois.

— Vous trouvez malin de l'énerver comme ça ? Nous nous apprêtons à solliciter ses services.

— Elle coopérera.

Là-dessus, Nick n'avait aucun doute. Il l'avait compris trente secondes à peine après avoir pénétré dans la boutique, en voyant son expression d'angoisse lorsqu'ils avaient mentionné son frère.

Jordan Rhodes ne l'appréciait peut-être pas, mais elle était très attachée à son jumeau. Et c'était tout ce qui comptait.

Les deux agents la conduisirent dans une salle de conférence au onzième étage et l'invitèrent à se mettre à l'aise pendant qu'ils allaient « récupérer un dossier ». Ce n'était sans doute qu'un prétexte, mais pourquoi ? En tout cas, après cet interrogatoire pendant le trajet, elle gardait un œil sur McCall. Et sur son collègue.

Elle ôta ses gants, son écharpe et son manteau, puis essuya la neige sur ses bottes. D'accord, comme le lui avait fait remarquer McCall, ses Louboutin n'étaient guère appropriées à la météo. En s'habillant dans l'arrière-boutique, elle avait failli en changer. Mais les bottes fourrées qu'elle avait achetées en novembre – sans imaginer se retrouver dans une telle situation – manquaient de chic. Selon elle, le style devait parfois l'emporter sur le pragmatisme : pas question de se présenter en *moon boots* roses devant des représentants du FBI. Du moins, si elle tenait à ce qu'ils la prennent au sérieux.

Jordan s'assit et regarda la neige qui tourbillonnait au-dehors. La perspective de devoir déblayer son allée en rentrant chez elle ne l'enchantait guère. Elle devrait peut-être s'offrir une de ces souffleuses ? Ou un homme… L'une comme l'autre pouvaient se révéler utiles par mauvais temps. D'un autre côté, la souffleuse prendrait trop de place dans son garage. Et la plupart des hommes qu'elle rencontrait aimaient encore moins qu'elle manier la pelle – ils étaient plutôt du genre à embaucher un professionnel.

Et si elle se mettait en quête d'un vrai mec, un de ces individus capables d'allumer un feu à l'aide de deux bâtons et de changer un pneu avec une main attachée dans le dos ? Un type qui ne craindrait pas de salir ses gants en cuir Burberry ?

La porte s'ouvrit à la volée et Nick McCall apparut.

— Désolée de vous avoir fait attendre, mademoiselle Rhodes.

Huxley le suivait de près et Jordan remarqua qu'ils avaient tous deux ôté leurs manteaux. Elle nota aussi qu'ils étaient armés, le harnais à peine dissimulé sous leur veste.

— Qu'est devenu votre dossier ?

— Vous n'allez pas nous croire ! Impossible de mettre la main dessus ! répliqua Nick. Nous allons devoir poursuivre sans documents. Huxley ?

— Ce que nous allons vous dire est strictement confidentiel, mademoiselle Rodes. Vous ne devez dévoiler à personne l'objet de cette réunion.

Facile, puisqu'elle l'ignorait elle-même.

— Je comprends.

— Vous savez déjà que c'est en rapport avec Xander Eckhart. Nous enquêtons sur lui depuis un certain temps. Nous pensons qu'il blanchit de l'argent de la drogue par le biais de ses night-clubs et de ses restaurants pour une organisation criminelle dirigée par Roberto Martino. Vous avez dû entendre parler des récentes inculpations de Martino et d'autres membres de son gang ?

Huxley laissa à Jordan un instant pour digérer ces informations.

— Vous paraissez surprise, dit Nick.

— Naturellement ! J'étais loin de me douter que Xander pouvait être mêlé à ce genre de trafic. Vous en êtes certains ?

— Oui, répondit Huxley. Nous le surveillons de près et l'avons vu à plusieurs reprises en compagnie de l'un des associés de Martino. Ils se rencontrent dans le bureau d'Eckhart, situé au sous-sol du *Bordeaux*.

— Au bout du couloir après la cave, murmura Jordan.

Nick se pencha en avant, l'esprit aux aguets.

— Vous avez pénétré dans le bureau d'Eckhart ?

— Oui. L'an dernier, lors de sa réception de la Saint-Valentin, il m'a proposé une visite complète des lieux.

— Pourriez-vous nous décrire l'aménagement de la pièce ? s'enquit Huxley.

— Je peux essayer. C'est pour cela que vous m'avez traînée jusqu'ici ?

Nick secoua la tête.

— Hélas, ce n'est pas si simple. Ce que nous souhaitons, c'est que vous nous aidiez à y pénétrer. Samedi soir.

— Vous voulez dire... pendant la réception ?

Nick croisa les bras sur la table.

— Que diriez-vous d'avoir un agent spécial en guise de cavalier, mademoiselle Rhodes ?

— Tout dépend de l'agent, monsieur McCall.

Huxley remonta ses lunettes sur son nez.

— Ce sera moi.

Jordan le dévisagea, étonnée.

— Ah... D'accord.

— Cachez votre joie, ironisa Nick.

— Navrée. C'est juste que l'agent Huxley me semble davantage...

Elle chercha ses mots, à court d'inspiration.

— Davantage correspondre à l'image d'un amateur de vins ? suggéra Nick d'un ton ironique.

— J'allais dire qu'il me semblait plus agréable.

— À vrai dire, cette mission m'a amené à me documenter largement sur le sujet, intervint Huxley. D'après ce que j'ai lu, Eckhart possède une collection impressionnante... Quoi que je n'aie aucune intention de boire au cours de cette soirée, ajouta-t-il après s'être éclairci la gorge.

À l'air agité de Huxley, Jordan devina que Nick était son supérieur.

— Supposons que j'y aille avec vous. Et ensuite ?

— Au bout d'un moment, je m'éclipserai pour disposer des mouchards dans le bureau d'Eckhart.

À les entendre, ce serait facile. Peut-être était-ce le cas, car ils avaient l'air de flics expérimentés.

— Dites-moi ce que vient faire mon frère là-dedans.

Nick prit le relais.

— La procureure fédérale accepte de réduire sa peine au temps déjà purgé. Si vous collaborez avec nous, elle enverra sa requête dès lundi. En attendant que le tribunal statue, nous pourrions nous arranger pour que votre frère soit simplement assigné à résidence.

Jordan les contempla l'un et l'autre pendant un long moment.

— Où est le hic ? Il y en a forcément un si vous êtes prêts à relâcher Kyle. Il y a quelques mois, le procureur fédéral s'est amusé à braquer tous les projecteurs sur ce scandale. Je suppose que c'était sa manière de démontrer son impartialité.

— Celle qui lui a succédé a d'autres chats à fouetter, déclara Nick.

— Toute mission d'infiltration comporte des risques, précisa Huxley. Nous pensons pouvoir les minimiser, mais vous devez y songer.

— Combien de temps ai-je pour réfléchir ?

— Je crois que vous avez déjà pris votre décision, mademoiselle Rhodes.

Comme elle aurait voulu lui rétorquer qu'il ne la connaissait pas aussi bien qu'il le prétendait ! Toutefois, pour l'heure, il avait raison.

— Je pose une condition : Kyle ne doit pas être mis au courant de notre arrangement. Il s'inquiéterait trop pour moi.

— *Personne* ne saura quoi que ce soit avant que nous ayons terminé, affirma Huxley. Afin de maintenir notre couverture, tout le monde devra être persuadé que nous sommes vraiment ensemble. En tout bien, tout honneur, ajouta-t-il, écarlate.

Nick ne l'avait pas quittée des yeux.

— Alors, affaire conclue ?

C'était Huxley qui serait son chevalier servant, pourtant Jordan ne pouvait s'empêcher de penser qu'elle s'apprêtait à vendre son âme au diable.

Un diable aux yeux verts. Comme Nick McCall.

Elle opina.

— Affaire conclue.

À la fin de la réunion, Jordan et Huxley se fixèrent un rendez-vous pour le jeudi soir, car ce serait au tour de Martin d'assurer la fermeture. Ils régleraient alors tous les détails.

Après avoir escorté la jeune femme jusque dans le hall d'entrée, Huxley se tourna vers Nick.

— Et si je ramenais Jordan chez elle ? Histoire d'en apprendre un peu plus sur ma nouvelle conquête... Je vais chercher ma voiture.

Sur ce, il enfila ses gants et disparut, les laissant seuls.

Jordan fixa Nick McCall d'un air méfiant et se prépara à recevoir encore une pique – sa spécialité, apparemment. Au lieu de quoi, il la surprit en déclarant :

— Bon, c'est ici que l'on se dit adieu…

— Vous ne serez pas là samedi soir ?

— Oh, si ! Mais je serai dans un sous-marin avec l'équipe technique, à quelques pas du *Bordeaux*. Si vous me voyez au cours de la réception, cela signifiera que notre opération a dérapé.

Un silence les enveloppa. Elle tenta d'ignorer le poids de son regard sur elle – en vain.

— Quoi ?

— J'étais en train de me dire que votre frère a beaucoup de chance de vous avoir.

Jordan repoussa sa frange pour masquer son trouble. Elle ne s'était pas attendue à un tel compliment. Oui, en effet, son jumeau avait *beaucoup* de chance de l'avoir. Mais la vérité, c'est qu'il aurait agi de la même manière pour elle.

— Kyle mérite qu'on lui fiche la paix. Allez-y, agent McCall, dites ce que vous voulez concernant mon jumeau, j'ai déjà tout entendu !

— J'ai deux frères, mademoiselle Rhodes. La loyauté familiale est une vertu que je respecte.

— Mais… ?

— Mais votre frère a enfreint la loi. Il en a même enfreint une bonne dizaine. Il a piraté un réseau de communication mondial et suscité une panique générale en provoquant une panne qui a affecté des millions de personnes.

Jordan leva les yeux au ciel.

— Épargnez-moi vos jérémiades, monsieur FBI. Kyle a piraté Twitter et fermé le site après que sa petite amie avait posté un lien pour une vidéo où elle folâtrait dans un jacuzzi avec un autre type.

— Le site est resté crashé pendant deux jours.

— Il s'est attaqué à Twitter, pas au ministère de la Défense ni l'agence de sécurité nationale. L'individu qui a fermé Facebook l'an dernier s'en est tiré avec une amende et des travaux d'intérêt public. Dans le cas de Kyle, le procureur – pardon, l'ex-procureur – a jugé que c'était insuffisant sous prétexte que notre père a de l'argent. Dommage pour Kyle et pour moi que nous ne vivions pas de sa fortune.

— Votre voiture est avancée, dit Nick en pointant le doigt vers la sortie.

Jordan marqua une pause pour regarder à travers les portes vitrées. Encore un 4 × 4, cette fois, une Range Rover. Elle pivota de nouveau vers Nick.

— Dites-moi… essayez-vous de me mettre en colère ou êtes-vous juste agaçant de nature ?

Une lueur espiègle dansa dans les prunelles de Nick.

— J'avoue : j'avais envie de vous titiller.

— Pourquoi ?

Il fit mine de réfléchir.

— Peut-être parce que j'en ai le pouvoir… J'ai l'impression que vous gagneriez à vous entourer de personnes qui vous énervent, mademoiselle Rhodes.

Elle avait un frère en prison qui correspondait au profil. Quant au jugement de Nick, elle avait fini par s'habituer aux gens qui la condamnaient d'emblée sous prétexte que son père était riche. Encore que la plupart d'entre eux s'y prenaient avec davantage de subtilité.

— Sérieusement… qui êtes-vous ?

— Excellente question. Je me métamorphose tous les six à neuf mois.

Ce furent les dernières paroles que Jordan entendit avant de quitter l'immeuble du FBI pour monter dans le véhicule de Huxley. Lorsqu'elle jeta un coup d'œil derrière elle, Nick avait déjà disparu.

— Prête ? demanda Huxley.

Elle fixa l'horizon.

— Absolument.

4

Jordan accéléra pour traverser la rue Van Buren au feu vert en se disant que si elle ne posait plus jamais le regard sur la prison une fois passée la semaine suivante, sa vie n'en serait que plus belle. La bâtisse était hideuse : un horrible triangle gris de trente étages muni de minuscules ouvertures verticales en guise de fenêtres.

Grâce à un arrangement avec Martin, elle pouvait rendre visite à Kyle tous les mercredis. Elle avait vivement apprécié de voir son assistant arriver à l'heure ce matin-là, malgré les quinze centimètres de neige que la voirie n'avait pas encore réussi à dégager. Sa voiture étant prisonnière d'une congère et les taxis se faisant rares les jours de mauvais temps, elle avait dû prendre le train pour se rendre au centre-ville, ce qui rallongeait le trajet. Les visiteurs étant autorisés à pénétrer dans la prison en fonction de leur ordre d'arrivée, elle se débrouillait pour être là à midi pile.

Jordan consulta sa montre et constata qu'elle était à l'heure. Elle poussa les portes et entra dans le hall. Ici, au moins, il faisait chaud. Au bureau d'accueil, elle remplit un formulaire qu'elle tendit à Dominique, le gardien, avec son permis de conduire. Au bout de quatre mois de visites hebdomadaires, elle connaissait la routine.

— J'en suis à la moitié de la saison deux de la série *Les Disparus*, lui annonça-t-il.

— Ma foi, vous allez vite !

— Qu'en est-il des « Autres » ? Ils me donnent la chair de poule.

— Vous le découvrirez au bout d'une centaine d'épisodes. Plus ou moins.

— Ne dites pas ça ! marmonna Dominique en lui rendant son permis de conduire. Vous êtes sûre que vous et votre frère n'avez pas un triplé ? Parce que la ressemblance est frappante.

Jordan sourit. Depuis la première diffusion des *Disparus*, les gens n'avaient de cesse de lui faire remarquer qu'elle et Kyle étaient le portrait craché de l'un des principaux personnages – Sawyer – que Kyle détestait. Pour cette raison précisément, le personnel de la prison semblait prendre un malin plaisir à le taquiner à ce sujet. Jordan trouvait cela plutôt amusant.

— Je suis certaine qu'il n'existe aucune relation entre nous.

Ou alors, son père avait des explications à leur fournir…

— N'oubliez pas de laisser votre écharpe au vestiaire… À la semaine prochaine, Jordan !

« Pas si tout se déroule comme prévu. »

Comme l'exigeait le règlement, elle rangea toutes ses affaires dans un casier, derrière le comptoir de réception. Un deuxième officier l'escorta, ainsi que plusieurs autres visiteurs, jusqu'à l'ascenseur et monta avec eux au « salon » situé au huitième étage. Quand les portes de la cabine s'ouvrirent, ils se dirigèrent vers l'espace de sécurité. Jordan passa sous le détecteur et attendit qu'un troisième gardien ouvre les portes en métal et en verre blindé.

Lors de sa première visite, elle avait eu du mal à cacher sa surprise. Sans doute avait-elle trop regardé la télévision ? Toujours est-il qu'elle s'était attendue à ce qu'une vitre la sépare de son frère et qu'ils soient obligés de communiquer par téléphone. Elle avait été ravie de découvrir que les détenus étaient autorisés à rencontrer leurs proches dans une vaste salle commune. Certes, quatre vigiles armés les surveillaient mais au moins, on pouvait discuter face à face.

Ignorant l'horrible breuvage qui ne méritait pas le nom de café, Jordan opta pour une bouteille d'eau minérale au distributeur. Elle choisit une table près d'une fenêtre équipée de barreaux et s'y installa. Comme chaque semaine, elle évita de prêter attention aux conversations alentour. Elle devrait patienter plusieurs minutes avant que Kyle n'apparaisse.

Jordan, j'ai fait une énorme bêtise...

C'étaient les premières paroles qu'il avait prononcées lorsqu'il l'avait appelée cette nuit fatidique, cinq mois auparavant. Elle n'avait aucune idée de ce dont on l'accusait.

— Tu peux réparer ta faute ? avait-elle demandé.

— Sais pas, avait grommelé son frère en se cognant la tête contre un mur.

— Où es-tu ? Je viens te chercher.

— Tijuana. J'ai trop bu.

— Kyle. Qu'as-tu fait, au juste ?

Il avait haussé le ton, en colère.

— J'ai fermé le site Twitter, c'est tout. Dani n'a qu'à aller au diable !

Jordan n'avait pas tout saisi, mais elle avait compris que son frère avait commis un délit grave à cause de sa petite amie Daniela.

Kyle avait le don de s'attirer des ennuis – en fréquentant des croqueuses de diamants, idiotes et qui plus est terriblement mal élevées. Au fil de la diatribe alcoolisée de son frère, Jordan avait fini par apprendre qu'au bout du compte, Daniela, l'égérie brésilienne de la marque de sous-vêtements Victoria's Secret, ne faisait pas exception à la règle. Ils s'étaient connus à New York au vernissage d'un ami commun. Ils avaient entretenu une relation à distance pendant six mois, un record pour Kyle. Puis Daniela s'était rendue à Los Angeles pour tourner un clip vidéo – une opportunité à ne pas rater, avait-elle expliqué, car elle rêvait de devenir actrice…

Au bout de deux jours sous le soleil californien, elle avait cessé de téléphoner à Kyle. Inquiet, il lui avait laissé plusieurs messages sur son portable et à son hôtel. Elle ne lui avait pas répondu. Le quatrième soir, il avait enfin eu des nouvelles.

Via Twitter.

@KyleRodhes Dsl (ou désolé), sa ne va pa marché entr nou. G rencontré 1 typ à LA et je m'1stal avec lui. T mignon mé tu parl trop d'1formatik.

Vingt minutes plus tard, dans son message suivant, Daniela avait posté un lien à une vidéo la montrant en train de batifoler dans un bain à remous avec le célèbre acteur de cinéma Scott Casey.

Kyle ignorait ce qui l'ennuyait le plus : s'être fait plaquer sur Twitter ou cocufier en public. Vu sa fortune à lui et son statut à elle de vedette en devenir, leur relation avait passionné les chroniqueurs mondains, à New York comme à Chicago.

Expert en nouvelles technologies, Kyle savait très bien qu'en quelques minutes, le film serait diffusé dans le monde entier. Il avait donc réagi comme n'importe quel hacker ulcéré : il avait piraté le site et effacé la vidéo ainsi que le mail précédent de Daniela. Puis, rageant contre les progrès de la communication virtuelle, il avait carrément bloqué le fonctionnement du site pendant quarante-huit heures.

Ainsi avait débuté le « Grand Bogue Twitter » de 2011.

La terre avait pratiquement cessé de tourner sur son axe.

Dans le chaos et l'affolement, les gestionnaires du site avaient tenté sans succès de neutraliser ce qu'ils considéraient comme le piratage le plus sophistiqué auquel ils avaient dû faire face. Entre-temps, le FBI attendait soit une demande de rançon, soit une déclaration politique de la part du « Terroriste du Web » – en vain, car celui-ci n'avait aucune revendication à émettre. Il s'était déjà envolé pour Tijuana, au Mexique, afin de se consoler en se soûlant à la tequila.

Au cours de la deuxième nuit, après une rencontre désagréable avec un cactus à la sortie d'un bar, Kyle avait connu un instant de lucidité. Il avait regagné sa chambre en chancelant et téléphoné à Jordan. Après quoi, réalisant l'énormité de sa bêtise, il avait branché son ordinateur portable et stoppé son attaque.

Malheureusement, cette fois-là, il n'avait pas pris toutes les précautions nécessaires. Et quand le lendemain, redevenu sobre, il était rentré à Chicago, les agents du FBI l'attendaient devant sa porte.

Malgré toutes les tentatives de ses avocats pour l'en dissuader, Kyle avait insisté pour plaider coupable. Il avait commis un délit et en paierait les conséquences. Jordan avait trouvé cela admirable de sa part, même si cela allait lui coûter un an et demi de son existence...

Soudain, les lourdes portes s'ouvrirent et Jordan revint au présent.

Les détenus entrèrent en file indienne. Les deux premiers repérèrent tout de suite leur famille et se précipitèrent dans leur direction. Kyle était le troisième.

Comme chaque fois, il arborait un sourire mi-heureux, mi-embarrassé. En combinaison orange et tennis bleues, il s'approcha tandis qu'elle se levait.

— Jordan ! s'exclama-t-il en l'étreignant avec fougue.

— Finalement, je trouve que cette couleur te va plutôt bien, plaisanta-t-elle.

— Toi aussi, tu m'as manqué.

Comme ils s'asseyaient, Jordan remarqua que plusieurs jeunes femmes lorgnaient son frère. Déjà, en cinquième, sa meilleure copine avait commencé à lui donner des mots à transmettre à Kyle après l'école. Depuis, les filles le trouvaient toujours aussi attirant, à la grande stupéfaction de Jordan, qui ne comprenait pas cet engouement.

— D'après ce que j'ai pu voir par ma fenêtre, il y a eu une sacrée tempête de neige !

— Il m'a fallu près d'une heure pour déblayer mon allée ce matin.

Kyle repoussa ses cheveux blond foncé de son visage.

— Tu vois ? La détention a ses avantages : finie la corvée de pelletage !

Kyle avait établi les règles dès le départ : les blagues sur sa situation étaient attendues et encouragées, pas la compassion. Cela leur convenait à tous les deux, car ils venaient d'une famille où l'on avait du mal à exprimer ses sentiments profonds.

— Tu vis dans un duplex au sommet d'un immeuble. Tu n'as pas déblayé la moindre allée depuis des années ! rétorqua-t-elle.

— Un choix délibéré après le traumatisme de mon enfance. Tu te rappelles comment papa m'obligeait à nettoyer le trottoir tout autour du pâté de maisons chaque fois qu'il neigeait ? J'avais huit ans quand il a concocté ce plan machiavélique : j'étais à peine plus grand que la pelle.

— Et moi, j'avais le droit de rester à l'intérieur pour préparer du chocolat chaud avec maman... Tais-toi ! Cela t'a fait le plus grand bien.

— Hé, Sawyer ! s'écria soudain un détenu depuis l'autre extrémité de la pièce, quand est-ce que tu me présentes ta sœur ?

Kyle parut irrité mais ignora cette interruption.

— Yo ! Sawyer !

Un garde s'approcha du perturbateur, lui intimant le silence. Jordan ne chercha pas à dissimuler son sourire.

— J'ai l'impression que quelqu'un essaie d'attirer ton attention.

— Je ne réponds pas à ce nom, grogna-t-il.

— Tu devrais te couper les cheveux, lui suggéra Jordan.

— Au diable Josh Holloway et *Les Disparus* ! marmonna-t-il. J'ai toujours eu les cheveux longs.

— Sawyer, un peu moins fort ! prévint le vigile en passant devant leur table.

Amusée, Jordan regarda son frère, qui tentait de conserver son calme.

— Pour Sawyer, c'est normal puisqu'il est naufragé sur une île. Remarque, il devait y avoir un salon de coiffure ou un spa dans le camp des « Autres ». Après tout, ils effectuaient des interventions chirurgicales, ils devaient donc disposer d'au moins une paire de ciseaux et…

— Si tu n'arrêtes pas tout de suite, je te bannis de ma liste de visiteurs.

Elle rit aux éclats.

— Tu es collé à moi comme un chewing-gum sous une semelle depuis la naissance. Que deviendrais-tu si je ne venais pas t'égayer toutes les semaines ?

Soudain, un détenu d'environ trente-cinq ans s'immobilisa devant eux. Dès qu'il prit la parole, elle reconnut la voix de celui qui avait crié un peu plus tôt.

— C'est donc vous, la sœur ! lança-t-il avec un sourire qui lui conférait un air plutôt inoffensif, malgré le serpent tatoué sur son avant-bras droit. Sawyer, présente-moi. Faisons les choses comme il faut.

— Puchalski ! aboya le gardien. Je ne te le redirai pas. Interdiction de parler aux autres visiteurs !

Le détenu gratifia Jordan d'un regard empli de regrets et s'éloigna en traînant les pieds.

— Papa est venu lundi, je suppose ?

— Oui. On dirait que les affaires vont mieux. La poussière retombe enfin.

En effet, l'entreprise de leur père avait pris un sérieux coup après le scandale. Curieux, comme les gens avaient tendance à tiquer quand le vice-président d'une société informatique – et fils du P-DG – était inculpé et emprisonné pour piratage.

Kyle changea de position et Jordan aperçut un hématome jauni sur le côté gauche de sa mâchoire. Baissant les yeux, elle posa son regard sur ses phalanges égratignées.

— Tu t'es encore battu.

— Rien de grave.
— Montre-moi…
— Jordan, tu sais bien que tu ne…
Aussitôt, le gardien fut devant eux. Il fronça les sourcils.
— Désolé, madame, pas de contact.
— Excusez-moi.
Elle aspira une grande bouffée d'air. En général, elle supportait bien cette épreuve mais de temps en temps, elle craquait.
— Que s'est-il passé ?
— Une discussion qui a dégénéré, éluda-t-il. Certaines personnes n'ont rien de mieux à faire que de dire des conneries.
— Kyle, tu es plus intelligent que cela.
— C'est ce que maman m'a dit quand je suis rentré à la maison après ma première bagarre contre Robbie Wilmer, en sixième. Mon premier cocard.
— Maman n'étant pas là, je me permets de le faire à sa place.
— Je ne cherche pas les affrontements, Jordan. Mais ici, ce n'est pas comme à l'école. Les règles sont différentes et si je veux survivre encore quatorze mois, je suis obligé de les respecter.
Comme elle aurait voulu lui révéler le pacte qu'elle venait de signer avec le FBI ! « Pas quatorze mois… mais seulement une semaine. » Toutefois, elle se retint.
— Du coup, tu as été sanctionné ?
— Une petite ségrégation disciplinaire n'a jamais fait de mal. Tu allais me dire autre chose, devina-t-il.
— J'allais te faire la morale, mais j'ai décidé que le jeu n'en valait pas la chandelle.
— Pourquoi ai-je l'impression que tu me caches quelque chose ?

— Parce que tu… tu as trop de temps à tuer et tu cherches des mystères là où il n'y en a pas.

— À moins que je ne sois tout simplement perspicace ? Je finirai par découvrir ce que tu me dissimules, Jordan.

— Merci de me mettre en garde, mon cher. Si tu pouvais te servir de ta « perspicacité » pour rester libre à l'avenir, ce serait formidable.

Kyle lui serra brièvement la main.

— Je suis si heureux que tu sois venue. Tu n'imagines pas combien j'apprécie ces échanges. Eh… merde !

Le gardien était de nouveau devant eux. Kyle retira précipitamment sa main.

— Je sais, je sais. Pas de contact.

— Pourquoi toutes ces contraintes ? On se croirait en prison ! rétorqua Jordan.

Impassible, l'officier tourna les talons et s'en alla.

— Tu te rends compte ? Il n'a même pas esquissé un sourire. Drôle de faune…

Kyle scruta ses camarades en combinaison orange.

— Tu trouves ? Je n'avais pas fait attention.

Elle accrocha son regard et sourit. Mais elle dut faire un effort pour ne pas trahir ses pensées.

« Plus qu'une semaine, Kyle. Tiens bon ! »

5

— Comment se porte Kyle ?

Jordan remplit trois verres de vin et en tendit un à Melinda et à Corinne.

— Vous connaissez mon frère, répondit-elle en posant la bouteille et en ramassant son propre verre. Il affirme qu'il va bien, mais à en juger par l'hématome qu'il avait au visage et les égratignures sur ses phalanges, je dirais que nos définitions du mot « bien » diffèrent largement.

La boutique était fermée. Jordan et ses deux amies s'étaient assises autour d'une table près du rayon champagnes et vins pétillants. Comme à leur habitude, Jordan offrait les boissons tandis que Melinda et Corinne fournissaient un plat et un dessert.

— Il s'est encore battu ? s'enquit Melinda. Que se passe-t-il dans cette prison ? Ils manquent de gardiens ? Ce sont les détenus qui dirigent l'asile ?

Corinne fit preuve d'un peu plus de tact :

— Ils ne peuvent pas séparer Kyle de ceux qui le harcèlent ?

— Il ne veut pas de traitement spécial. Il est convaincu que cela s'arrêtera s'il tient bon, que c'est une sorte de rite de passage. Il m'a expliqué que si ces types avaient vraiment l'intention de lui faire du mal, ils utiliseraient une arme. J'avoue que son optimisme me dépasse complètement... Désolée. Assez parlé de moi et de mes problèmes familiaux. Quoi de neuf chez vous ?

Tout en mangeant, elles discutèrent boulot. Melinda et Corinne étaient toutes deux enseignantes. Corinne travaillait au lycée public de l'un des quartiers les plus difficiles de la ville et Melinda était professeur de théâtre musical à l'université Northwestern, où elles avaient toutes suivi leur premier cycle d'études supérieures.

Melinda savoura sa première gorgée de vin.

— Excellent. Un merlot, dis-tu ?

— En provenance du sud de l'Australie. Un marquis-phillips 2008.

— Très fruité.

— Ma foi, tu m'épates ! s'exclama Jordan en tapotant ses larmes factices avec une serviette en papier. On dirait une enfant qui fait ses premiers pas. Je suis fière de toi.

— Rappelle-moi d'emporter le reste. Je veux le faire goûter à Pete. Il refuse toujours de boire du merlot depuis la sortie de *Sideways*.

Rien de nouveau sous le soleil. Sévèrement dénigré tout au long du film, le merlot n'avait pas encore regagné la faveur du public.

— Je lui ferai changer d'avis la prochaine fois que je le verrai.

— À propos... on dîne toujours tous ensemble samedi prochain ? demanda Corinne.

— Oui, répliqua Melinda. Mais d'abord, parlons de ce week-end. Tu as des projets pour la Saint-Valentin, Jordan ?

Jordan marqua une pause. « Ce week-end ? Rien de spécial. Je vais juste aider le FBI à infiltrer le repaire d'un restaurateur célèbre qui blanchit l'argent de la drogue. Et vous ? »

— Xander Eckhart donne-t-il sa grande réception annuelle ? intervint Corinne.

— Oui.

Jordan retint son souffle. « Je vous en supplie, ne me demandez pas qui m'y accompagne. »

— Qui t'y accompagne ?

Devinant d'avance que ses amies aborderaient le sujet, Jordan avait passé un certain temps à imaginer des réponses à cette question. Elle avait décidé d'opter pour la nonchalance.

— J'ai rencontré un homme il y a quelques jours, je pensais y aller avec lui, déclara-t-elle en haussant les épaules. À moins que je ne m'y rende seule, qui sait ?

Melinda posa sa fourchette.

— Qui est-ce ? Pourquoi ne nous en as-tu pas parlé plus tôt ?

Corinne se frotta les mains avec enthousiasme.

— Alors ? Raconte ! Comment vous êtes-vous connus ?

— Quel est son métier ? voulut savoir Melinda.

— Franchement, ce que tu peux être frivole ! lui reprocha Corinne... Il est beau ?

Jordan s'était doutée de leur réaction. Toutes trois étaient inséparables depuis l'université et en dépit de leurs emplois du temps surchargés, elles se voyaient souvent. Avant que Corinne ne se marie, Charles avait été au centre de toutes leurs conversations. De même avec Pete, le fiancé de Melinda. C'était maintenant au tour de Jordan de leur vanter les mérites de sa nouvelle conquête. Toutefois, elle avait des scrupules à leur mentir.

Elle avait donc concocté un plan B, au cas où. Elle eut recours à la stratégie qu'elle employait depuis l'âge de cinq ans, quand elle avait mis le feu aux cheveux de sa Barbie en voulant la faire bronzer sous la lampe halogène du salon familial.

Rejeter la faute sur Kyle.

— Il... il est...

Elle se tut, passa une main dans ses cheveux et prit une profonde inspiration.

— Pardon. Ça ne vous ennuie pas qu'on en parle plus tard ? Après avoir vu Kyle dans cet état aujourd'hui, je me sens coupable de poursuivre ma vie mondaine. J'ai l'impression de ne pas prendre suffisamment au sérieux l'incarcération de mon frère.

Elle se mordit la lèvre, honteuse de son mensonge.

Ce prétexte eut l'effet prévu. C'était l'un des rares avantages à être la jumelle du « Terroriste du Web » : la possibilité de se dérober sans vexer ses interlocuteurs.

Corinne lui serra brièvement la main.

— Personne n'a soutenu Kyle plus que toi, Jordan. Nous comprenons. Nous en reparlerons une autre fois. Et tâche de ne pas t'inquiéter – ton frère est un grand garçon.

— Oh, oui ! approuva Melinda, une lueur espiègle dans les prunelles.

— Merci, Corinne, murmura Jordan. Quant à toi, Melinda, ne me dis pas que tu en pinces pour lui ? Beurk !

— Pour toi, c'est ton frère. Pour tout le reste de la population féminine, c'est un homme séduisant. Restons-en là.

6

Il est de notoriété publique que tout agent spécial du FBI talentueux et expérimenté a tendance à s'adonner de temps en temps aux dérapages verbaux.

Le jeudi soir, Nick – qui possédait lesdits talents et expérience – prenait part à cet exercice en compagnie de son collègue Jack Pallas, l'autre « meilleur agent » de Davis. Tous deux venaient de s'entraîner dans le gymnase de l'immeuble, ouvert vingt-quatre heures sur vingt-quatre. Certains membres du bureau s'empâtaient après avoir obtenu leur diplôme de l'Académie, mais pas les hommes de Davis. Celui-ci exigeait qu'ils soient toujours au summum de leur forme physique et dans son discours de bienvenue, invitait systématiquement les nouveaux venus à « soulever de la fonte ».

Ruisselants de transpiration, Jack et Nick s'emparèrent chacun d'une serviette sur l'étagère en pénétrant dans le vestiaire. Pendant qu'ils couraient sur le tapis roulant, Pallas avait mis Nick au courant de tout ce qu'il avait raté pendant ses six mois sur la mission Cinq Étoiles. Au bout d'un moment, leur conversation avait dévié sur les inculpations de Roberto Martino et de ses acolytes, puis sur l'enquête concernant Xander Eckhart.

— Il paraît que tu es sous les ordres de Seth Huxley ? Tout se passe bien ?

— Si par « sous les ordres » tu entends que je lui fournis mon expertise pour rendre service à notre patron, je te répondrai que tout se déroule à merveille… Ce que j'essaie de comprendre, c'est pourquoi Davis m'a impliqué dans cette affaire. J'aurais juré qu'un autre agent traitait déjà le dossier Martino… Attends ! Mais oui, ce doit être toi, Jack !

Celui-ci s'assit sur un banc devant leurs casiers.

— J'ai été très occupé, ces jours-ci. Trente-quatre arrestations en quatre mois, McCall. C'est un nouveau record pour moi.

Nick ôta son tee-shirt trempé de sueur.

— Et moi, j'en ai effectué vingt-sept la semaine dernière ! C'est un nouveau record pour notre division.

— Tu en as sept de retard sur moi, camarade.

« Pas pour longtemps », songea Nick.

— Quand j'aurai bouclé Eckhart et Trilani, il ne m'en restera plus que cinq.

Jack s'esclaffa.

— Eckhart est mêlé à une affaire de blanchiment d'argent. Tout ce qui concerne le fisc vaut un demi-point.

Il se releva pour se déshabiller à son tour, révélant une poitrine criblée de cicatrices – brûlures électriques et une plaie par balle.

Nick, qui avait souvent travaillé avec Jack et partageait régulièrement ses entraînements, avait déjà vu ces stigmates – souvenirs des deux journées pendant lesquelles les complices de Martino l'avaient torturé. Deux jours au bout desquels il ne leur avait absolument rien donné en échange. Comme toujours, Nick éprouva un sursaut de fierté à l'idée d'appartenir à l'une des corporations les plus redoutables du pays, mais aussi un élan de respect envers Jack. Tous deux étaient très dévoués à leur métier.

Davis ne rajeunissait pas et lorsqu'il prendrait sa retraite, sans doute demanderait-on soit à Nick, soit à Jack, de lui succéder. Ni l'un ni l'autre n'était certain de vouloir de ce poste bien que la satisfaction de remporter une victoire les incitât tous deux au moins à envisager cette possibilité.

Nick noua sa serviette autour de ses hanches.

— Intéressante, ta réflexion de tout à l'heure. Car d'après ce que j'ai entendu, tu réponds toi-même aux ordres de quelqu'un, ces temps-ci. La nouvelle procureure fédérale.

En fait, selon plusieurs sources, Jack avait été désigné pour assurer la protection de la jeune femme dans le cadre d'une enquête pour meurtre et n'avait pas hésité à plonger du haut d'un immeuble de trois étages pour lui sauver la vie. Toujours selon ces sources – qui s'étaient exprimées à condition de rester dans l'anonymat le plus complet – ces deux-là vivaient désormais ensemble et Jack semblait s'être « radouci » depuis.

— Nous sommes tous dans le même cas, répliqua Jack. Il faut dire qu'elle est extraordinaire…

Les coins de sa bouche se relevèrent tandis qu'il retirait son pantalon de jogging. Nick le dévisagea, ahuri.

— Ai-je bien vu un sourire ? Merde, Pallas ! Après toutes ces années de collaboration, je commençais à me demander si tu avais des dents !

— C'est sa nouvelle personnalité ! lança une voix chaude.

Un Afro-américain bien bâti émergea des douches. Comme Jack et Nick, il n'arborait qu'un drap de bain autour de la taille.

— À vrai dire, c'est plutôt agréable. Il ne menace presque plus personne de les tuer…

Le jeune agent tendit la main à Nick.

— Je suis le partenaire de Jack, l'inimitable Sam Wilkins, se présenta-t-il. Je vous ai aperçu dans les parages.

— Nick McCall. Vous êtes le nouveau tout juste sorti de Yale, c'est bien cela ? On raconte que votre garde-robe pourrait rivaliser avec celle de Huxley.

— Quelqu'un possède une garde-robe aussi chic que la mienne ?

Huxley apparut à son tour, en serviette et – ô surprise ! – claquettes Polo. Il sortit ses lunettes de son casier et les chaussa.

— Ah ! Salut… Wilkins.

— Bonsoir, Huxley, répondit fraîchement Sam.

Nick pointa le doigt entre les deux.

— Vous avez un problème, tous les deux ?

— Aucun, rétorqua Huxley. Simple rivalité amicale.

— Pas tant une rivalité qu'un accord tacite entre nous, rectifia Wilkins, car Huxley a suivi ses études dans *l'autre* faculté de droit de l'Ivy League, celle qui suit immédiatement Yale dans les classements.

— Et où l'on donne des cours intitulés « La loi et le papillon », par exemple, plaisanta Huxley.

Jack ricana et se confia à Nick.

— J'adore les écouter se chamailler, tous les deux.

Nick décida de réorienter la conversation.

— Comment s'est déroulée votre réunion avec Jordan Rhodes aujourd'hui ?

— Très bien. On s'est retrouvés chez elle et on a revu tous les détails concernant la soirée de samedi. Si on nous demande où nous nous sommes rencontrés, je répondrai que je suis client de sa boutique. J'en connais assez sur le vin pour que ça passe sans problème. Nous avons été bien inspirés de la choisir pour nous donner un coup de main. Elle a pu me fournir une description approfondie du bureau d'Eckhart. Je pense pouvoir planter les mouchards assez vite.

— Vous devrez vous éclipser discrètement, lui fit remarquer Nick.

Huxley avait sorti de son sac un caleçon repassé avec soin, qu'il enfila avant de passer une élégante chemise bleue.

— J'ai tout prévu. Jordan va attirer Eckhart à l'écart pour lui parler d'un vin qu'il lui a demandé. J'en profiterai pour m'échapper et me faufiler jusqu'au bureau.

Il gratifia Nick d'un regard entendu en attachant ses boutons.

— Écoutez, je sais que Davis vous a demandé de jouer les baby-sitters... Certes, enchaîna-t-il en levant une main, c'est ma première opération d'infiltration. Mais croyez-moi, je travaille sur cette affaire depuis des mois. Je tiens plus que tout à la réussir. Je suis prêt.

À l'entendre, Nick ne pouvait guère le contredire.

Vingt minutes plus tard, Nick traversait le parking, gagnait son 4 × 4, déverrouillait la portière et montait à bord. Dieu qu'il faisait froid ! Les hivers de Chicago étaient impitoyables. Il laissa tourner le moteur quelques minutes, le temps que l'habitacle se réchauffe. Il s'apprêtait à démarrer quand son portable sonna. Nick vérifia l'identité de son correspondant sur l'écran du tableau de bord.

Lisa…

Il ne lui avait pas adressé la parole depuis six mois, avant de se lancer dans l'enquête Cinq Etoiles. En toute franchise, il n'avait eu aucune intention de la recontacter. Certes, ils avaient passé de bonnes soirées ensemble, mais il lui avait clairement expliqué dès le début qu'il ne prenait pas leur relation au sérieux. Toutefois, il était trop bien élevé pour l'ignorer.

— Allô ? Bonsoir, Lisa.

— Il paraît que tu es de retour en ville.

— Tu as mis tes espions à mes trousses ? taquina Nick.

— Maya m'a dit que tu avais commandé un plat à emporter à *La Taverne*, l'autre soir, expliqua Lisa en faisant référence à la serveuse de cet établissement réputé.

— J'avais oublié qu'elle enseignait aussi le yoga dans ton école.

— D'après elle, tu n'as pas changé.

— Lisa, ça ne fait pas si longtemps que ça.

— Six mois.

— Je t'avais prévenue que je ne te donnerais pas de nouvelles avant longtemps.

« Voire, jamais. »

— Mais à présent, tu es là. Serais-tu libre ce soir, par hasard ?

Nick sentit que le moment était venu de lui annoncer – gentiment mais fermement – qu'il ne souhaitait plus la voir. En fait, il lui semblait avoir déjà rompu six mois plus tôt.

Dès le départ, il lui avait répété ce qu'il déclarait à toutes ses conquêtes : les relations au long cours n'étaient pas sa tasse de thé. Ses missions l'empêchaient de s'engager. Pour l'heure, il se concentrait sur son métier et il en était satisfait. S'il devait rendre compte de ses activités à Davis, il menait ses investigations à sa guise, ce qui lui convenait tout à fait.

Enfant, Nick avait vu l'air soulagé de sa maman chaque fois que son père franchissait le seuil de la maison après son service. Contrairement à celui-ci, il arrivait à Nick de ne pas rentrer le soir, pendant des semaines ou des mois. Il avait beau se dévouer à sa carrière, il n'était pas égoïste au point d'infliger ce style de vie à une femme.

— Lisa, nous en avons déjà discuté. Toi et moi, c'était... sans lendemain.

— J'avais l'impression qu'on s'amusait bien ensemble, pourtant.

— En effet. Mais j'ai beaucoup de travail et je ne peux pas te voir.

La voix de Lisa se teinta de suspicion.

— Tu as quelqu'un d'autre, n'est-ce pas ? Pas la peine de mentir.

— Je n'ai personne. Mais je ne suis pas en mesure de t'offrir ce que tu veux.

Il y eut un silence. Nick s'efforçait d'être honnête et pourtant, ses conquêtes étaient furieuses lorsqu'elles se rendaient compte qu'il était sincère en affirmant ne pas vouloir d'une liaison durable.

— Très bien. Toutefois, tu vas finir par souffrir à force d'être seul, Nick. Ce jour-là, pense à nous et rappelle-moi...

Elle raccrocha.

Nick poussa un soupir de soulagement et s'assura que la communication était bien coupée. Ouf ! ça n'avait pas été trop pénible. Quand il tarderait à se manifester, Lisa laisserait tomber. Après tout, ce n'était qu'une histoire de sexe. Ils n'avaient jamais échangé des mots doux ni des promesses pour l'avenir. Tôt ou tard, elle comprendrait qu'il n'était pas l'homme de sa vie.

Il venait de quitter l'autoroute pour emprunter la rue Ohio quand son portable sonna de nouveau. Il jeta un coup d'œil sur l'écran digital. Encore une amoureuse déçue... Il appuya sur le bouton du volant pour décrocher.

— Maman... j'allais t'appeler.

— À d'autres. Je pourrais être morte, tu ne le saurais même pas.

Nick sourit. Bien qu'en parfaite santé à bientôt soixante ans, sa mère brandissait souvent ce genre de menace.

— Je pense que papa, Matt ou Anthony m'avertiraient.

L'illustre Angela Giuliano, qui avait autrefois brisé les illusions de tous les Italiens célibataires de Brooklyn – selon la version souvent racontée à Nick et à ses frères – en autorisant John McCall, un étranger, à la ramener chez elle le soir de la Saint-Sylvestre, quelque trente-six ans auparavant, poussa un soupir.

— Qu'en savent tes frères ? Ils vivent à moins d'un quart d'heure d'ici, mais ton père et moi ne les voyons jamais.

Nick savait que ses frères, comme pratiquement tous leurs parents du côté maternel vivant à New York, déjeunaient chez ses parents à 13 heures précises tous les dimanches sans exception. Son père avait depuis longtemps accepté cette invasion hebdomadaire, le prix à payer quand on appartenait au clan Giuliano.

Comme chaque fois qu'il avait une conversation avec les siens, Nick se sentit vaguement coupable. Il était beaucoup plus indépendant que ses frères et en ce sens, l'éloignement géographique l'arrangeait plutôt. Tout de même, il lui arrivait de regretter ces repas dominicaux.

— Vous voyez Matt et Anthony toutes les semaines. Vous voyez tout le monde toutes les semaines.

— Pas tout le monde, Nick, riposta sa mère. Enfin, sauf ce week-end, ajouta-t-elle d'un ton plus chaleureux.

Nick marqua une pause. Ce pouvait être un piège. Sa mère cherchait-elle à lui soutirer des informations ? Elle aurait mieux fait de s'adresser à Anthony qui était incapable de garder le moindre secret.

— Pourquoi ? Qu'y a-t-il de spécial, ce week-end ?

— Rien, rien… J'ai cru comprendre que ton père et vous organisiez une fête en l'honneur de mon anniversaire.

« Imbécile d'Anthony ! »

— Inutile d'accuser Anthony, enchaîna-t-elle, toujours anxieuse de protéger son cadet. Ta tante Donna avait déjà lâché le morceau quand sa langue a fourché.

Nick devina la question suivante avant qu'elle ne la formule.

— Alors ? Tu viens accompagné ?

— Navré, maman. Je serai seul.

— Quelle surprise !

Il bifurqua dans l'allée qui menait au parking de son immeuble.

— Attention, je m'apprête à entrer dans mon garage. La ligne va sûrement couper.

— Comme c'est pratique ! J'avais préparé un sermon.

— Laisse-moi deviner : tu allais me dire que je devais me concentrer sur autre chose que mon métier et que tu es en train de mourir, le cœur brisé de ne pas avoir de petits-enfants. J'ai raison ?

— À peu près. Je te réserve la suite pour dimanche.

Nick sourit.

— Crois-le ou non, j'attends ce moment avec impatience. À dimanche, maman.

Elle se radoucit.

— Je sais combien tu es occupé, Nick. Tu n'imagines pas à quel point je suis heureuse que tu viennes me voir.

Il en était conscient.

— Je ne raterais cette occasion pour rien au monde.

Tôt le samedi matin, Nick reçut un autre coup de fil.

Ouvrant les yeux, il constata qu'il faisait encore nuit. Il roula sur le côté et consulta son réveil : 5 h 38.

Il s'empara de son appareil et vit que l'importun n'était autre que Huxley. Pour lui, c'était le jour J et Nick concevait son enthousiasme. Rien de plus normal à ce qu'il trépigne d'impatience à l'approche de sa première mission d'infiltration.

Mais tout de même, 5 h 38…

Il décrocha, la voix éraillée.

— Pour que vous me dérangiez à une heure pareille, j'espère que vous avez un cadavre sur les bras, Huxley.

Il perçut un gémissement à l'autre bout de la ligne. Nick s'assit brusquement.

— Huxley ?

Une voix faiblarde lui répondit.

— Personne n'est mort. Mais je n'en suis pas loin.

7

Nick appuya sur la sonnette du duplex de Huxley. En patientant sur le perron, il scruta les alentours. Malgré le blizzard qui les avait assaillis au début de la semaine, les marches, l'allée et le trottoir étaient parfaitement déblayés. Pas un détritus ne traînait dans le jardin et les conifères alignés devant la véranda étaient taillés en une rangée de pyramides impeccables.

Il était bien au domicile de Huxley.

Il sonna de nouveau et attendit quelques instants avant de tourner la poignée de la porte. Huxley lui avait dit d'entrer s'il ne venait pas lui ouvrir. Nick pénétra sur la pointe des pieds dans le vestibule. D'un geste instinctif, il plaqua une main sur le harnais sous sa veste puis se ravisa.

— Huxley ? Vous êtes vivant ?

Il vit un escalier à sa gauche et un couloir obscur devant lui. Aucune lumière n'était allumée. Il jeta un coup d'œil dans la salle de bains à sa droite. Personne.

Puis une faible voix lui parvint.

— Par ici…

Nick longea le couloir jusqu'à une vaste salle de séjour doublée d'une cuisine digne d'une revue de décoration. C'est là qu'il distingua Huxley.

Du moins ce qu'il croyait être Huxley.

L'agent en général si apprêté gisait à plat ventre sur un canapé beige, tenant mollement d'une main un sac-poubelle posé par terre. Il était habillé d'un sweat-shirt bleu marine, d'un pantalon en flanelle à carreaux et ne portait qu'une seule chaussette.

Nick ôta son manteau et s'avança. Huxley souleva la tête avec difficulté. Ses yeux étaient vitreux, ses cheveux dressés sur le côté gauche comme la crête d'un Indien Mohawk.

— Ne vous approchez pas trop.

Épuisé par son effort, il se laissa retomber sur les coussins. Nick s'assit à l'autre bout du sofa.

— Aïe ! Vous êtes en piteux état. Qu'est-il arrivé à votre chevelure ?

— J'ai eu les premiers spasmes sous la douche. J'ai dû en sortir à toute allure. Au beau milieu de mon shampooing.

— Et la chaussette orpheline ?

— Dans le panier à linge sale. J'ai vomi sur mon pied.

— Ah...

D'un mouvement douloureux, Huxley se retourna. Il geignit.

— La bonne nouvelle, c'est que je n'ai pas vomi depuis douze minutes. Avant cela, c'était toutes les neuf minutes.

— Je doute qu'il s'agisse de contractions préalables à l'accouchement, Seth. Serait-ce une intoxication alimentaire ?

— Ça m'étonnerait. J'ai trente-neuf de fièvre.

— Ce doit être une grippe intestinale.

— C'est mon impression.

Avant que Nick ne puisse reprendre la parole, on frappa à la porte. Huxley ferma les yeux.

— C'est sûrement Jordan. Je lui ai téléphoné juste après vous avoir contacté et je lui ai laissé un message pour lui signaler qu'on avait un souci.

En effet ! Primo, la réception d'Eckhart avait lieu le soir même et son partenaire ne serait jamais remis à temps. Deuzio, cinq mille blagues au sujet de la coiffure de Huxley lui traversaient l'esprit et Nick n'était pas certain de pouvoir se retenir.

— J'y vais !

Nick se précipita vers l'entrée en réfléchissant aux éventuelles solutions à leur problème. À son immense désespoir, il n'en voyait qu'une. Davis lui avait pourtant promis une mission facile, un rôle de simple consultant. Et voilà qu'il était en première ligne...

Il marmonna quelques jurons entre ses dents et ouvrit la porte. Puis il cligna les yeux. Il s'était attendu à découvrir la jeune femme sophistiquée qu'il avait rencontrée cinq jours plus tôt. Au lieu de quoi, il se trouvait devant une créature en leggings et anorak chaussée de bottes fourrées roses. Les cheveux rassemblés en queue de cheval, elle n'était pas maquillée mais ses joues étaient rougies par le froid et ses yeux bleus étincelaient.

Intéressant.

Il ne lui connaissait pas cette facette. Par chance, elle était blonde et issue d'un milieu qu'il détestait, sans quoi il l'aurait probablement trouvée jolie. Or, vu que son rôle dans l'affaire Eckhart venait de changer, ce n'était pas le moment de se laisser distraire.

— Agent McCall ! s'exclama-t-elle, stupéfaite.

Il haussa un sourcil.

— Jolies bottes.

Elle lui coula un regard noir. Apparemment, les bottes étaient un sujet tabou.

— Vous avez dit que si je vous voyais aujourd'hui, cela signifierait que la mission avait dégénéré.

Il s'effaça pour la laisser entrer.

— Venez voir.

Il ferma la porte derrière elle.

— Mais je vous préviens, reprit-il, c'est assez dérangeant.

Il la conduisit jusqu'au salon où gémissait son coéquipier.

— Mon Dieu ! Que s'est-il passé ?

Huxley eut un frisson mais parvint à esquisser un sourire.

— Je ne me sens pas bien du tout.

— C'est surtout la coiffure, ironisa Nick. Elle est... ridicule.

— Je n'ai pas la force de soulever un peigne, soupira Huxley. Désolé, Jordan, je ne suis pas dans mon assiette.

— C'est peu dire. Vous tremblez. Vous avez froid ?

— C'est la fièvre.

— Pourquoi ne porte-t-il qu'une seule chaussette ? demanda-t-elle tout bas à Nick.

— Il a vomi sur son pied.

— Ah ! Vous voulez une autre chaussette ? Une couverture ?

Huxley se redressa difficilement.

— Pas la peine. Je vais monter. Si vous voulez bien m'excuser... Je...

Il plaqua une main sur son estomac.

Jordan le suivit des yeux tandis qu'il s'agrippait à la rampe pour gravir l'escalier. Lorsqu'elle entendit une porte claquer, elle pivota et constata que Nick s'était déplacé vers la cuisine. Elle l'y rejoignit et l'observa en train d'ouvrir les placards.

— Je connais Huxley. Il en a forcément quelque part... Et voilà !

Il brandit un flacon sous le nez de Jordan.

Un gel désinfectant pour les mains.

— Vous ne pourrez pas prétendre que je ne vous ai jamais rien donné.

Elle sourit malgré elle.

— Merci.

Elle s'en versa une dose généreuse et se promit de ne toucher à rien dans la maison. À l'étage, Huxley gémissait.

— Qu'est-ce qu'on peut faire pour lui ? demanda-t-elle à Nick.

— Je crois qu'il préférerait rester seul.

Elle opina.

— Il ne sera pas remis à temps pour la réception, n'est-ce pas ?

— Non. Et c'est bien dommage car je sais à quel point cette mission lui tenait à cœur. Mais il est fiévreux, il a une mine affreuse et il ne peut pas quitter sa salle de bains plus de vingt minutes d'affilée.

Jordan eut pitié de Huxley. D'une part, il souffrait visiblement et d'autre part, elle savait combien il s'était investi dans cette affaire. Toutefois, elle avait d'autres préoccupations et savait qu'il était sa seule chance de faire libérer Kyle.

— Dois-je en conclure que nos plans pour ce soir sont annulés ?

Nick s'adossa contre le comptoir en face d'elle. En pull marine à col rond sur un jean, son harnais bien en vue, il paraissait encore plus dangereux que lors de leur première rencontre. Elle nota sa mâchoire volontaire, sa barbe naissante.

Elle avait vu pire. Elle n'irait pas jusqu'à affirmer qu'il était attirant mais sans doute la plupart des femmes appréciaient-elles cette sorte de... de virilité tranquille.

— On n'annule rien du tout, répondit-il. C'est peut-être notre unique chance d'épingler Eckhart. Mais il va falloir procéder à quelques ajustements.

— À savoir ?

Il la regarda droit dans les yeux.

— Pour commencer, vous venez de décrocher un nouveau cavalier.

— C'est bien ce que je craignais, agent McCall.

Il secoua la tête.

— À partir de maintenant, je suis Nick Stanton, investisseur indépendant en immobilier, rétorqua-t-il en faisant allusion à la biographie qu'ils avaient inventée pour Huxley. Je possède plusieurs immeubles au nord de la ville et je loue mes appartements essentiellement à des étudiants. Nous nous sommes connus le jour où je suis entré dans votre boutique vous acheter une bouteille de vin pour mon gérant, Ethan, qui vient de se fiancer avec une certaine Becky, cadre dans la publicité originaire de Des Moines et qui fut l'une de mes locataires. Vous m'avez aidé à choisir et j'étais tellement en transe que je n'ai prêté aucune attention à ce que j'ai acheté.

Il se gratta le menton, faisant mine de réfléchir.

— De quel vin s'agissait-il, ma chérie ? Un cépage français dont je n'avais jamais entendu parler ?

Jordan nota qu'il s'éloignait du script.

— Un gamay ?

Il claqua des doigts.

— Exact ! Un gamay.

— Huxley avait opté pour un carménère du Chili.

— Huxley s'y connaît beaucoup mieux que moi. Comme je n'ai pas le temps de me pencher sur la question, mon personnage sera novice en la matière. Le vôtre trouvera cela rafraîchissant, après tous les snobinards qui défilent dans son magasin.

— Mais j'éviterai de le souligner ce soir, vu que la plupart desdits snobinards seront présents.

Tous deux se tournèrent tandis que Huxley réapparaissait dans le salon et allait s'affaler sur le canapé.

— Je vous ai entendus discuter. Vous prenez ma place, Nick ?

— Nous n'avons pas d'autre alternative pour l'instant.

Huxley parut dépité.

— Trois ans au service du FBI et je n'ai jamais été malade une journée. Il faut que cela tombe aujourd'hui.

Il s'enfonça dans les coussins et contempla Nick.

— Vous allez avoir besoin d'un costume.

— J'en ai plusieurs ! riposta Nick, offusqué.

Huxley ne se laissa pas impressionner.

— Un *vrai* costume, argua-t-il. Sans vouloir vous offenser, ajouta-t-il en agitant une main pour couper court aux objections de son supérieur, si vous voulez vous fondre dans la foule, il vous faut une tenue adéquate. Tout le monde va avoir l'œil sur le type au bras de Jordan Rhodes. Vous ne pouvez pas vous contenter d'un complet acheté chez H&M.

— Dites donc ! s'indigna Jordan. J'accepterais volontiers de sortir avec un homme habillé en H&M !

— Huxley a raison, concéda Nick.

Jordan croisa les bras, sur la défensive.

— Décidément, vous me jugez mal, tous les deux.

Nick pivota vers elle et mordit à l'appât.

— Très bien. Je ravale mes paroles si vous pouvez en toute honnêteté me citer tous ceux que vous avez fréquentés ces trois dernières années et qui s'habillaient à cette enseigne.

Jordan le fusilla du regard mais fut incapable de le contredire. Elle soupira.

— Soyons clairs : ce n'est pas un critère pour moi. Oui, je rencontre surtout des cols blancs. Et s'ils veulent dépenser tout leur fric en fringues de marque, c'est leur affaire.

Nick haussa les épaules.

— Vous n'avez pas besoin de vous justifier, princesse.

Outrée, elle se redressa de toute sa taille.

— J'ignore qui vous êtes et d'où vous venez mais je vous interdis de m'appeler « princesse » !

— Brooklyn.

— Pardon ?

— Je viens de Brooklyn, Votre Majesté, expliqua-t-il avec un sourire taquin.

Jordan le fixa encore une seconde puis se tourna vers Huxley.

— Le FBI ne dispose-t-il pas d'une sorte d'injection super-vitaminée à administrer à ses agents dans des cas comme celui-ci ? Un produit qui vous remettrait d'aplomb d'ici à ce soir ?

— Désolé. Vous devrez y aller avec Nick.

— Croyez-moi, je n'y tiens pas plus que vous, déclara Nick. Rester enfermé pendant sept heures dans un sous-marin m'amuse davantage que de faire des salamalecs à une bande d'élitistes amateurs de flacons de prestige.

Il consulta sa montre et jura entre ses dents.

— Il ne nous reste pas beaucoup de temps. Maintenant que je remplace Huxley, il me faut dénicher un collègue pour la surveillance. Et faire des courses, ajouta-t-il à l'intention de Huxley.

Il était complètement déstabilisé par cette histoire de costume. Jordan l'aurait volontiers laissé se débrouiller mais pour le bien de Kyle, ils étaient condamnés à aller jusqu'au bout. Elle sortit son portable.

— Je m'occupe de votre tenue.

Une voix masculine lui répondit.

— Dites-moi que vous faites un saut à la boutique. À cause de cette fichue tempête, nous n'avons pas vu âme qui vive.

Jordan sourit. Deux ans plus tôt, elle avait découvert Christian, un styliste personnel employé chez Ralph Lauren. Il ne l'avait jamais déçue, quel que soit son problème.

— Vous êtes disponible, ce matin ? J'ai besoin d'un complet chic. Vite.

— Je suis disponible.

— Parfait. Il est pressé. Rendez-moi service en en sélectionnant plusieurs à l'avance. Des chemises et des cravates aussi. Plutôt classique. Taille…

Elle interrogea Nick du regard. Il ne paraissait pas enchanté par son initiative, mais n'osait sans doute pas protester.

— Cinquante.

Elle répéta cette information à Christian.

— C'est bien la première fois que vous m'envoyez un homme. Ce cinquante-là doit avoir quelque chose de spécial.

— Oh, il est spécial, oui ! Il passera dans un quart d'heure.

— Attendez ! supplia Christian avant qu'elle ne raccroche. Je meurs de curiosité ! Donnez-moi au moins un indice. Qui est l'homme-mystère ?

Elle hésita une seconde puis se rendit compte qu'il était grand temps de franchir le pas et de commencer à mentir. Autant s'exercer sur Christian.

— Il s'appelle Nick. C'est… mon petit ami.

Nick lui tint la porte tandis qu'ils sortaient de chez Huxley.

— Petit ami ? Tiens ! Tiens ! Je ne m'étais pas rendu compte que nous en étions déjà là.

— Navrée – c'est ma toute première mission d'infiltration. Je ne connais pas encore toutes les règles. Une chance pour vous, ça ne durera pas. Dès demain, vous pourrez feindre d'avoir rompu.

Elle se dirigea vers la rue. Nick la rattrapa par la manche.

— Mettons les points sur les *i*. Vous êtes peut-être habituée à donner des ordres à vos assistants ou aux employés de votre boutique mais là, il s'agit de mon enquête. Désormais, je suis le seul et unique responsable.

— Dois-je annuler le rendez-vous pour le costume ? Je prends votre silence pour un « Merci, Jordan, j'apprécie que vous me tiriez cette épine du pied »…

Elle tourna les talons mais Nick lui agrippa de nouveau le bras.

— Où allez-vous ? Vous devez m'accompagner chez Ralph Lauren.

— En quel honneur ?

— J'ai huit heures pour assurer le succès de cette opération et vous devez me mettre au courant de tout ce dont vous êtes convenus avec Huxley jeudi. Et me fournir une description détaillée du bureau d'Eckhart.

— Il est plus de 9 heures. Je n'ai pas le temps d'aller en ville avec vous. J'ouvre la boutique dans une heure et je dois d'abord passer chez moi pour me changer.

— Vous ne pouvez pas vous faire remplacer ?

— Malheureusement, non.

Martin et Andrea assureraient la soirée pendant qu'elle dégustait des petits-fours à la réception de Xander et Robert, leur représentant, s'était absenté pour le week-end. De surcroît, ils organisaient une promotion sur plusieurs vins et elle devait afficher ses prix avant l'ouverture.

Nick lorgna sa voiture.

— Vous avez un système Bluetooth dans votre Maserati ?

Vu le prix de l'automobile en question, elle était équipée de tout sauf d'un siège éjectable et d'un parachute.

— Oui.

— Nous communiquerons par téléphone. J'ai votre numéro.

« Quelle surprise ! »

Ils se séparèrent et grimpèrent dans leurs véhicules respectifs. Aussitôt après avoir démarré le sien, Jordan appuya sur le bouton qui déclenchait le chauffage de ses sièges en cuir. Comme le bon vin et les belles chaussures, les sièges auto-chauffants figuraient en tête de sa liste de luxes favoris. Elle laissa tourner le moteur quelques instants avant de s'extirper de son emplacement. Elle rattrapa Nick au « stop ».

Elle le vit jeter un coup d'œil dans son rétroviseur. Un instant plus tard, son portable sonnait. Quand elle décrocha, les haut-parleurs diffusèrent sa voix grave et veloutée.

— J'ai réfléchi. Mon personnage est tombé fou amoureux de vous dès qu'il vous a aperçue. Il ne laisse aucun homme s'approcher de vous.

— Vous êtes bien possessif. Mon personnage devrait-il s'en inquiéter ?

Ils s'immobilisèrent tous deux à un feu rouge.

— Cela lui plaît… Vous sortez avec des hommes ennuyeux et coincés depuis trop longtemps. Vous êtes en quête de nouveauté.

— Votre personnage est bien présomptueux.

— Vraiment ?

Le feu passa au vert et ils partirent chacun dans une direction opposée. En fonçant vers le nord, le 4 × 4 de Nick disparut de sa vue et elle décida qu'il était temps de changer de sujet.

— Que voulez-vous savoir concernant l'aménagement du bureau d'Eckhart ?

— Tout ce que vous pouvez me révéler.

Appuyant sur l'accélérateur, Jordan lui décrivit ce dont elle se souvenait. Elle raccrocha alors qu'elle pénétrait dans son garage.

Vous êtes en quête de nouveauté.

Elle repensa à ce commentaire. Quelle arrogance ! D'un autre côté, elle ne pouvait s'empêcher de se demander s'il n'avait pas raison. Chassant cette pensée de son esprit, elle se précipita dans sa maison. Elle avait une certitude : il faisait beaucoup trop froid pour rester dehors à penser à Nick McCall.

Trente minutes plus tard, son costume neuf à la main, Nick descendit l'avenue Michigan jusqu'au parking où il avait laissé sa voiture. Tout en marchant, il composa un numéro.

Il est de notoriété publique que tout agent spécial du FBI talentueux et expérimenté – même s'il a tendance à s'adonner de temps en temps aux dérapages verbaux – sait reconnaître le moment où il faut passer aux choses sérieuses.

Au bout de deux sonneries, on décrocha.

— Pallas.

— McCall. J'ai un souci.

— L'opération Eckhart ?

— Oui. Huxley a une grippe intestinale.

— De quoi as-tu besoin ?

— Que tu me remplaces dans le sous-marin.

— Entendu.

— Rendez-vous au bureau dans dix minutes.

— À tout de suite.

Nick coupa la communication et révisa mentalement sa liste de contrôle.

Un costume Ralph Lauren au prix exorbitant. Mille six cents dollars, que le FBI avait intérêt à lui rembourser.

Un remplaçant – qui n'avait rien de mieux à faire mais qui ne manquerait pas de lui rappeler cette faveur.

Boucler le grand argentier du gangster le plus connu de Chicago tout en infiltrant une soirée œnologique ?

Un bonheur en perspective…

8

Après avoir fait un saut chez elle pour se changer et se maquiller, Jordan se rendit à pied à la boutique. Les rues étaient relativement tranquilles car la plupart des magasins étaient encore fermés. Son portable sonna dans son sac. Voyant que c'était Christian, elle répondit.

— Vous auriez au moins pu m'envoyer un type qui se soucie de son apparence !

Elle sourit.

— Comment s'est passée la séance avec Nick ?

— Nous avons survécu. Je n'en dirai pas plus. Vous auriez dû voir sa tête quand il a découvert les couleurs des cravates que je lui avais choisies. Il a décrété que là d'où il venait, on ne portait jamais de framboise écrasée. Je frémis à l'idée qu'un tel endroit puisse exister.

— Framboise écrasée ? Vous avez de la chance d'avoir survécu. Merci, Christian. J'apprécie votre aide.

Elle se promit de lui envoyer une bouteille de vin.

— N'hésitez pas à me confier tous vos clients sans costumes. Je pense que le résultat vous plaira… Joyeuse Saint-Valentin, Jordan ! ajouta-t-il d'un ton malicieux. J'ai la sensation que vous allez passer une soirée inoubliable.

Parce que Nick était son cavalier. Et que forcément, toute femme fêtant la Saint-Valentin en compagnie d'un homme aussi séduisant pouvait s'attendre à une nuit d'ébats fougueux.

De sexe effréné ponctué de mots grossiers.

Au fond, ce n'était peut-être pas une mauvaise manière de fêter la Saint-Valentin. Mais cela ne faisait pas partie de ses plans.

Jordan alla accrocher son manteau dans l'arrière-boutique. Elle ôta ses bottes fourrées, enfila une paire d'escarpins, alluma les lumières et brancha la musique. Elle adorait ouvrir le magasin – un moment de la journée où elle se sentait complètement chez elle.

Les matinées étant en général assez calmes, elle avait donc une bonne heure devant elle pour afficher ses étiquettes de promotion, recenser, ranger. Question ménage, elle n'aurait pas grand-chose à faire : Martin avait assuré la fermeture et c'était un maniaque de la propreté. Une qualité appréciable.

Elle vérifia les ventes de la veille et constata que la soirée avait été bonne. En plus de leurs clients réguliers, quatre nouveaux s'étaient inscrits au club de dégustation.

Jordan avait mis en place cette manifestation deux ans plus tôt. Tous les mois, elle et Martin sélectionnaient deux vins de valeur combinée entre cent et cent cinquante dollars. Au début, ce prix l'avait effrayée et elle avait demandé à Martin s'ils ne devraient pas envisager d'offrir des flacons plus abordables.

— Si je les choisis, les clients viendront, avait déclaré Martin d'un ton théâtral.

Elle lui avait accordé six mois pour le lui prouver.

Elle n'avait pas été déçue.

Leur club de dégustation était devenu une institution et comptait presque huit cents membres. Parfois, ils prenaient des risques en optant pour des crus de petits producteurs. Traditionaliste dans l'âme, Martin insistait toujours pour proposer un vin français ou italien, malgré les statistiques démontrant que les consommateurs préféraient ceux du Nouveau Monde, plus conviviaux et faciles à boire. Jusqu'ici, personne ne s'était plaint.

— Ils te vénèrent. Sérieusement, quand vas-tu ouvrir ton propre établissement et ruiner le mien ? l'avait-elle taquiné un jour.

— Ce n'est pas moi, c'est toi.

— Tu te trompes. Si tu n'avais pas été là, j'aurais choisi à quatre-vingt-dix pour cent des cabernets de Californie. Et des sauvignons blancs de Nouvelle-Zélande à dix dollars en été.

— Tu aurais quand même eu tes huit cents membres. Soyons honnêtes, Jordan. Les riches se tiennent les coudes. Ils achètent les vins que je leur soumets parce que tu les y encourages.

Elle avait failli objecter mais au fond d'elle-même, elle soupçonnait Martin d'avoir raison. Elle était consciente qu'une vaste partie des acheteurs fortunés de Chicago venait chez *elle*. Elle avait beau être financièrement indépendante, elle n'en était pas moins la fille de son père, ce qui la rendait d'autant plus fascinante.

— Tu es la Paris Hilton du vin ! avait lancé Martin.

Elle avait failli tomber à la renverse, horrifiée.

— Si tu me promets de ne plus jamais m'humilier ainsi, je te laisse sélectionner deux vins de l'Ancien Monde pour le mois prochain !

Martin s'était frotté les mains avec enthousiasme.

— Un brunello-di-montalcino, par exemple ?

— Tu te plains toujours de ce que la qualité de ces vins est inégale.

— Pour un homme moins doué que moi, cela pourrait poser un problème, répondit-il sans modestie. J'insiste, Jordan, entre ton nom et mon palais parfait, nous irons loin !

Jusqu'ici, il avait vu juste.

9

Nick gara sa voiture à une centaine de mètres de la demeure de Jordan et parcourut le reste du chemin à pied. Il poussa le portail en fer forgé et pénétra dans un jardin patio.

Il s'était dit que la maison devait être belle – très belle. Il ne s'était pas trompé. La bâtisse en briques qui se dressait sur deux étages et demi était enjolivée d'élégants balcons ornant les fenêtres du rez-de-chaussée. Une vaste terrasse cernée d'une balustrade de briques et de pierre, qui devait appartenir à la suite parentale, surplombait le carré de pelouse.

En gravissant les marches du perron, il se surprit à se demander si c'était le père de Jordan qui lui avait offert cette propriété ou si elle avait les moyens de se la payer toute seule. Cela ne le regardait en aucune manière mais il était… curieux.

Il appuya sur le bouton de la sonnette et entendit le carillon retentir à l'intérieur. Deux minutes s'écoulèrent. Il recommença.

La porte s'ouvrit brutalement.

— Désolée ! souffla Jordan. Problème de fermeture éclair.

S'efforçant de rester impassible, Nick la fixa. De l'endroit où il se trouvait, il ne voyait pas ce qui la tracassait.

L'étoffe violet foncé moulait toutes les courbes de sa silhouette élancée. Elle avait coiffé ses cheveux en un chignon sophistiqué dont s'échappaient quelques mèches. Ses yeux brillaient encore plus que les diamants accrochés à ses oreilles.

Elle agrippa le chambranle.

— Vous avez perdu votre langue, Brooklyn ? J'en déduis que la robe vous plaît.

Pris en flagrant délit, Nick se ressaisit.

— Pas d'impertinence, je vous prie ! J'étais en train de réfléchir à la façon de vous accrocher un micro.

Jordan s'effaça pour le laisser entrer et referma la porte derrière lui.

Nick faillit tomber à la renverse.

Seigneur ! Ce décolleté dans le dos le suppliait presque d'admirer son postérieur.

— Qu'est-ce que c'est que cette histoire de micro ?

Il cligna des yeux.

— Pardon ?

— Vous venez de parler d'un micro…

— Simple mesure de précaution. Je veux vous entendre bavarder avec Eckhart pendant que je serai au sous-sol.

Nick plongea la main dans la poche de son veston et en extirpa un dispositif miniature.

— Joyeuse Saint-Valentin !

Jordan examina l'engin.

— Il est minuscule !

— Il capte les voix à quinze mètres à la ronde, même à travers un vêtement. Il vous suffit de l'insérer dans votre soutien-gorge… en admettant que vous en portiez un sous ce fourreau.

— Non. Juste des sparadraps sur mes tétons.

Cinq années à la brigade des mœurs, les six suivantes au FBI… jamais Nick n'avait été confronté à une telle situation. Jordan afficha un sourire.

— Je plaisante… Tournez-vous.

Il s'exécuta. « Ne pense pas à ses seins. Ne pense pas à ses seins. »

— C'est bon ? s'enquit-il d'un ton brusque.

Peut-être avait-elle besoin de son aide ?

— C'est bon.

Nick pivota et la regarda se rajuster.

— Qu'en pensez-vous ? ça passe ?

« Mieux encore ! » songea-t-il. Cependant, au lieu de lui répondre, il désigna la porte. Leur limousine les attendait.

— Prête ?

Jordan inspira profondément.

— Non. Mais allons-y tout de même.

Sachant qu'ils boiraient beaucoup au cours de la soirée, Jordan avait loué une voiture. Elle prenait cette initiative chaque année et Nick lui avait recommandé de respecter autant que possible ses habitudes.

Assise auprès de lui sur la banquette arrière, elle s'efforça d'ignorer les battements désordonnés de son cœur. Elle s'apprêtait à participer officiellement à une opération d'infiltration et ce n'était pas le moment de céder à la nervosité. Elle n'avait jamais été confrontée au moindre danger, sauf peut-être le jour où un SDF ivre mort s'était aventuré dans sa boutique et avait renversé le rayon des syrahs avant de s'effondrer entre les rayonnages.

Et Martin avait été là pour la protéger, brandissant une bouteille de côtes-du-rhône au-dessus de la tête de l'intrus en attendant l'arrivée de la police.

Jordan observa Nick à la dérobée. Il était sûrement équipé d'une arme plus efficace qu'une bouteille. Comment se débrouillait-il pour dissimuler un pistolet sous ce costume à la coupe impeccable ?

Il s'était rasé et elle remarqua qu'il avait une fossette au menton. Ses cheveux châtains frôlaient à peine le col de sa chemise : il s'était aussi offert une coupe de cheveux.

Lorsqu'il s'était présenté chez elle, elle avait été frappée par sa beauté et son élégance. Il se fondrait à merveille parmi la foule des invités de Xander. Pourtant, elle s'était dit qu'elle le préférait en tenue plus décontractée. Par chance, il l'exaspérait la plupart du temps, car elle n'avait absolument aucune intention de craquer pour Nick McCall. Ou plutôt, pour Stanton, le personnage qu'il incarnait ce soir.

Il la surprit en train de le contempler alors que la limousine ralentissait devant *Le Bordeaux*. Tandis que le chauffeur descendait et contournait l'automobile pour ouvrir la portière de Jordan, Nick essaya de jauger son humeur.

— Nous y voilà, murmura-t-elle d'un ton qu'elle voulait nonchalant.

Un frisson la parcourut alors qu'un souffle d'air glacial envahissait l'habitacle. Nick se pencha en avant pour s'adresser au chauffeur.

— Un instant, s'il vous plaît…

Il referma la portière.

— Tout ira bien. Faites-moi confiance.

Elle acquiesça.

— D'accord.

Puis il posa une main sur sa joue et se rapprocha – allait-il l'embrasser ? – pour lui chuchoter à l'oreille :

— Si tout ne se déroule pas comme prévu, précipitez-vous auprès de la serveuse rousse. C'est une amie.

Jordan ravala un cri. « Si tout ne se déroule pas comme prévu ? »

Elle n'eut pas le temps de l'interroger car le chauffeur lui tendit la main. Elle s'arma de tout son courage et sortit. Nick la suivit et ensemble, ils entrèrent dans le restaurant.

Le décor du *Bordeaux* impressionnait toujours Jordan. Plafonds hauts, chandeliers en cristal diffusant une lumière tamisée et chaleureuse et murs tendus de soie blanc cassé conféraient au lieu une atmosphère douce et accueillante. À leur droite, de l'autre côté de la salle à manger, se trouvait le salon VIP. À l'extrémité opposée, une porte ouvrait sur une terrasse dominant le fleuve et un autre bar chauffé par des lampes à infrarouge pendant les mois d'hiver. C'est là que Jordan devrait entraîner Xander pour boire un verre et discuter des vins qu'elle recherchait pour lui pendant que Nick procéderait à la mise en place des mouchards.

Ils laissèrent leurs manteaux au vestiaire et se faufilèrent jusqu'au restaurant. Jordan aperçut immédiatement des gens qu'elle connaissait mais hésita à s'approcher d'eux. Encore une minute de répit, c'est tout ce qu'elle demandait avant de se lancer dans la mascarade.

Nick semblait lire dans ses pensées.

— Si on buvait un verre ? proposa-t-il en accrochant le regard d'un serveur.

Celui-ci leur tendit à chacun une flûte de champagne, dont Jordan s'empressa de noter la marque. Un cristal-louis-roederer 2002 rosé. Comme toujours, Xander ne regardait pas à la dépense.

« Concentre-toi sur le vin », s'ordonna-t-elle. Nick avait la tâche la plus complexe à accomplir, pas elle. Dans les heures à venir, elle n'aurait qu'à sourire et goûter.

— Vous avez omis de me signaler qu'ils allaient servir des boissons roses, fit remarquer Nick d'un ton sceptique.

— C'est un champagne rosé.

— Ah. Je ne connais que le zinfandel blanc. Ma grand-mère adorait cela.

Par chance, Jordan n'avait pas encore bu, sans quoi elle se serait étranglée.

— Règle numéro un : ne jamais, *jamais* parler de zinfandel blanc ici, sous peine de provoquer un scandale.

Elle porta son verre à son nez et son instinct prit le dessus. Paupières closes, elle huma le bouquet de pommes compotées, amandes et fruits séchés. Elle trempa ses lèvres, savoura.

Lorsqu'elle rouvrit les yeux, elle constata que Nick la dévisageait avec attention.

— Il est bon ?

Une litote.

— Goûtez-y.

— Je n'aime pas les boissons roses… Vous vous sentez prête à passer au rouge ?

Jordan comprit le message : il était temps de se mettre au boulot.

— Bien sûr. Voyons ce que Xander nous a réservé comme surprises pour ce soir.

Ensemble, ils se frayèrent un chemin jusqu'à la salle privée. La pièce résonnait des conversations d'amateurs déjà à l'œuvre. Jordan repéra presque aussitôt « l'amie » de Nick, la serveuse rousse. Ravissante, elle ne correspondait pas du tout à l'image que Jordan se faisait d'un agent du FBI. L'espace d'un éclair, elle se demanda quelle était la véritable relation entre elle et Nick. Puis elle se réprimanda : ce n'était pas son problème.

Jordan nota que ses boucles auburn couvraient largement ses oreilles. Pour dissimuler un écouteur, peut-être ? Intriguée, elle se promit de poser la question à Nick un peu plus tard.

— Comment fait-on ? demanda-t-il. C'est ma toute première dégustation.

— Hum… vous êtes vierge, en matière d'œnologie. J'aurais tant de choses à vous apprendre.

— Du calme, Rhodes. Tenez-vous-en aux notions de base.

— Très bien. Voici mes prédictions pour ce soir : à moins que Xander n'ait décidé d'enfreindre certaines règles, nous allons commencer par deux blancs légers, puis nous passerons à un chardonnay et enfin, nous goûterons quelques rouges. C'est là qu'on commencera vraiment à s'amuser.

Nick saisit l'un des menus de dégustation sur le bar.

— Voyons… Quelle est votre première proposition ?

— Un sauvignon blanc, suggéra Jordan. Sans doute en provenance de la vallée de la Loire. Suivi d'un riesling, d'un pinot gris et d'un chardonnay californien.

— Pas mal, murmura-t-il, sidéré.

Elle haussa les épaules.

— Je m'y connais un peu…

— Sauf que pour le chardonnay, vous vous êtes trompée.

Étonnée, Jordan jeta un coup d'œil sur la carte. Par le passé, Xander avait toujours sélectionné un vin de Californie. Cette fois, il avait opté pour un bourgogne.

— Intéressant, non ? murmura l'homme à sa gauche.

Se tournant, Jordan reconnut Ralph Velasquez, le copropriétaire d'un fonds de placement à risque basé à Chicago. Comme elle, il était régulièrement invité à cette réception. Elle lui adressa un sourire.

— Bonsoir, Ralph… Où est Emily ?

— Elle a préféré rester à la maison - bien malgré elle. Notre cadet a été malade toute la semaine et elle n'a pas osé l'abandonner aux mains de la nounou. J'ai l'impression qu'un virus court. Tous ceux à qui je parle en ce moment souffrent d'une grippe intestinale.

Jordan repensa à Huxley, vautré sur son canapé avec sa crête à la Mohawk. Elle pivota vers Nick.

— Ralph Velasquez, Nick Stanton.

Ouf ! elle ne s'était pas trompée.

— Vous devez être fière de vous, susurra Ralph.

Elle inclina la tête.

— Parce que… ?

— Les rouges, dit Ralph en désignant la liste des vins.

— Je n'y suis pas encore. Je m'étonne que Xander ait laissé tomber le chardonnay californien.

— Oubliez cela. Jetez plutôt un coup d'œil aux cabernets.

Jordan s'exécuta et retint son souffle en découvrant les noms de deux d'entre eux.

— Qu'en dites-vous ? s'enquit Ralph.

Elle ne répondit pas tout de suite. Elle croyait comprendre où Ralph voulait en venir, mais tout de même…

— On dirait que quelqu'un a un admirateur secret.

Nick fronça les sourcils, soudain fort intéressé par la tournure que prenait la conversation.

— J'ai la sensation d'avoir manqué quelque chose.

— L'année dernière, Xander, Jordan et moi avons eu une grande discussion à propos de ses choix de vins rouges. Voyez-vous, Xander a une prédilection pour le screaming-eagle – un cru fantastique, certes. Mais Jordan l'a taquiné en lui annonçant que s'il voulait changer un peu, elle serait enchantée de lui soumettre quelques suggestions. Xander a donc voulu savoir quels étaient ses cabernets préférés.

— Que lui avez-vous répondu ? demanda Nick à Jordan.

— Je… j'ai dû mentionner le vineyard 29.

— Il figure sur la liste.

— Elle a aussi signalé qu'elle était une adepte du quintessa labellisé « Meritage ». Je suis tout à fait d'accord avec elle.

— Il figure lui aussi sur la liste.

Nick étrécit les yeux.

— Soyons clairs : deux des cinq rouges présentés sont parmi vos préférés ?

Jordan se mit aussitôt sur la défensive.

— Je possède une cave à vins. Il s'agit sûrement d'un clin d'œil plus professionnel que personnel.

— Vous en êtes sûre ? insista Nick en la regardant droit dans les yeux.

Avant de lui répondre, Jordan se remémora ses dernières rencontres avec Xander. Aucun détail ne l'avait frappée, aucune conversation ne lui avait laissé entendre qu'il en pinçait pour elle. Bien entendu, Xander passait souvent à la boutique, comme nombre de ses clients les plus fidèles. Il flirtait avec elle de temps en temps, mais c'était avant tout un séducteur. Sa réputation d'homme volage n'était un secret pour personne et il collectionnait les conquêtes – en général des brunes de moins de vingt-cinq ans à jambes interminables. Blonde d'à peine un mètre soixante-cinq ayant déjà fêté ses trente-trois ans, Jordan ne correspondait à aucun de ces critères.

Toutefois, maintenant qu'elle y réfléchissait... elle se souvenait d'un échange un peu étrange qui avait eu lieu cinq mois auparavant, juste avant l'arrestation de Kyle et après son retour d'une expédition dans la vallée de Napa. Xander avait fait un saut au magasin et elle lui avait parlé des nouveaux vins qu'elle avait dénichés.

— Ce doit être pénible de se rendre plusieurs fois par an dans la vallée de Napa pour affaires, l'avait taquinée Xander.

Jordan avait ri tout bas en lui tendant un verre de pinot noir.

— Plaignez-vous ! Vous pouvez aller où vous voulez, quand vous voulez.

En effet, il ne se lassait pas de lui raconter ses voyages.

— Oui, mais Napa, c'est différent. Ce n'est pas le genre d'endroit où l'on aime se rendre seule. Vous devriez y aller accompagnée... Hum ! Excellent !

— Un serveur me l'a recommandé. Je l'ai tellement apprécié que j'en ai commandé deux caisses.

Xander l'avait suivie jusqu'au bar.

— Où êtes-vous descendue, là-bas ?

— Au *Ranch de Calistoga*. Vous connaissez ?
— Non. Mais j'en ai entendu parler. En bien.
— C'est un endroit fantastique. J'avais un bungalow privé surplombant le canyon. Tous les matins, je prenais mon petit-déjeuner sur le balcon tandis que le soleil se levait derrière les collines. Et le soir, je m'y asseyais pour admirer les étoiles en dégustant un cru maison.

Xander avait croisé les bras comme pour la défier de le contredire.

— N'auriez-vous pas préféré avoir quelqu'un à vos côtés ?

Il portait une chemise de marque, grise à col ouvert, un pantalon gris charbon et une montre Jaeger LeCoultre flambant neuve. Il semblait désireux de montrer sa fortune, surtout devant elle.

Parce que c'était un bon client, elle avait souri.

— La prochaine fois, peut-être. Je compte y retourner dès le début du mois de mars.
— Pourquoi attendre ? avait rétorqué Xander en sortant son portable. Je peux nous réserver une suite en deux minutes.

Elle s'était esclaffée. Comme si elle pouvait tout lâcher sur l'instant et sauter à bord d'un avion !

— Dommage, mais ce n'est pas si simple.

Elle s'était emparée de deux bouteilles pour les disposer à l'avant du magasin.

— Jordan...

Elle s'était immobilisée puis retournée.

— Quelque chose ne va pas ?

Au même moment, Martin avait surgi. Il venait de terminer son inventaire à la cave.

— On devrait commander une autre caisse de Zulu. Les clients adorent les vins sud-africains. Ah ! Monsieur Eckhart ! J'ignorais que vous étiez là. Euh… Je vous dérange ? avait-il bredouillé en portant son regard de l'un à l'autre.

Jordan avait cru déceler une lueur d'irritation dans les prunelles de Xander. Elle s'était rassurée en se disant que c'était le fruit de son imagination. Xander adorait discuter avec Martin, qui partageait ses goûts en matière de vins. En quoi la présence de son assistant pouvait-elle le déranger ? Xander avait éludé la question.

— Non, non, pas du tout… Je dégustais ce nouveau pinot. Quel est son prix ?

— Trente dollars la bouteille, avait répliqué Jordan, aux aguets.

Mais il semblait parfaitement détendu.

— Je vais peut-être le proposer dans mes restaurants.

La conversation s'était poursuivie quelques minutes, puis Jordan avait abandonné Xander et Martin.

À présent, avec le recul, elle se disait qu'elle avait peut-être mal interprété les intentions profondes de son hôte. Elle avait cru qu'il plaisantait en manifestant le désir de l'accompagner dans la vallée de Napa. Peut-être s'était-elle trompée. Toutefois, peu après, Kyle s'était retrouvé derrière les barreaux et l'existence de Jordan en avait été bouleversée. Elle s'était éclipsée de la scène mondaine et détournée des hommes.

Xander patientait-il depuis dans l'espoir de lui révéler un jour ses véritables sentiments ? Comme ce soir, avec sa liste « En hommage à Jordan »…

Elle accrocha le regard de Nick.

— Nous… nous avons peut-être un problème.

10

Un problème.

Voilà des mots qu'aucun agent en mission d'infiltration ne souhaitait entendre.

Il adressa un sourire courtois à Ralph.

— Si vous voulez bien m'excuser, j'aimerais dire deux mots à ma partenaire.

Aussitôt, il prit Jordan par la main et l'attira à l'écart. Il s'appuya contre le mur et plongea son regard dans le sien.

— À partir de maintenant, on se tutoie, chuchota-t-il… Ma chérie, enchaîna-t-il plus fort, tu aurais pu me prévenir que notre hôte en pinçait pour toi.

Elle le dévisagea, pas du tout intimidée. En onze ans de métier, Nick avait fait transpirer plus d'un suspect d'un simple regard, mais Jordan ne cilla pas. D'accord, aucun desdits suspects n'avait porté une robe fourreau fendue quasiment jusqu'aux fesses, et son visage trahissait peut-être un soupçon d'émoi…

— Je n'étais pas au courant moi-même, *mon chéri*. D'ailleurs, nous n'en avons pas encore la preuve. Cependant, supposons que l'intérêt que

Xander me porte ne soit pas uniquement d'ordre professionnel. Cela te poserait-il un problème ?

Elle s'était exprimée avec soin. Aux oreilles indiscrètes, elle semblait simplement calmer un amant jaloux, pas un membre du FBI irrité par un événement inattendu survenant au beau milieu d'une mission.

— Je m'en débrouillerais.

À certains égards, l'attirance d'Eckhart pour Jordan pouvait être une bonne chose. Elle n'aurait pas grand mal à l'attirer sur la terrasse pour boire un verre en tête à tête. Toutefois, Nick était anxieux de presser le mouvement. Ils devaient se mêler à la foule. Déguster des vins. Planter quelques mouchards. Bref, la routine…

— Nous devrions nous joindre aux autres, dit-il.

— Attends ! murmura-t-elle en le rattrapant par le bras, les yeux voilés d'inquiétude. Si je t'ai mis dans une position embarrassante, pardonne-moi.

Elle paraissait tellement perturbée que Nick eut un geste imprévu. Il lui effleura le menton.

— Du calme, Jordan. Je maîtrise la situation. Je crois bien qu'un verre à ton nom t'attend sur le comptoir, ajouta-t-il avec un sourire.

— À cinq mille dollars la soirée, j'espère qu'il y en a plus d'un !

— Je comprends mieux pourquoi personne ne vient ici à bord de sa voiture personnelle.

Il saisit la main de Jordan, se retourna et… faillit heurter de plein fouet Xander Eckhart, organisateur de la réception et suspect numéro 1 dans son enquête.

— J'ai toujours pensé que c'était parce qu'il était impossible de se garer dans ce quartier, déclara ce dernier d'un ton enjoué mais le regard glacial… Je me présente, Xander Eckhart.

— Nick Stanton.

— Vous êtes venu avec Jordan ?

— Exact.

Jordan se rapprocha de Nick.

— Xander, enfin nous pouvons vous saluer ! Vous vous êtes surpassé ce soir, comme toujours.

Il l'examina de bas en haut.

— Vous aussi, Jordan. Votre présence me flatte. Je sais que vous faites profil bas depuis les mésaventures de votre frère. J'ai été très surpris quand ma secrétaire m'a annoncé que vous l'aviez appelée pour ajouter un invité de dernière minute à ma liste. J'ignorais que vous aviez un compagnon.

Nick entrelaça ses doigts avec ceux de Jordan.

— C'est ma faute. À l'origine, j'avais prévu de passer le week-end à la campagne mais quand je me suis rendu compte que c'était la Saint-Valentin, j'ai modifié mes projets afin de pouvoir rester auprès de Jordan. Je m'en serais voulu de rater la soirée la plus romantique de l'année.

— En effet, c'eût été dommage, marmonna Xander.

— Nick et moi venons d'étudier la liste des vins proposés à la dégustation, intervint Jordan. Elle est très prometteuse.

— Disons que j'espérais rendre cette réception inoubliable. Cependant, je me demande si je ne me suis pas fourvoyé… Comment vous êtes-vous rencontrés ?

— À la boutique de Jordan.

— Vous êtes amateur de vins, Nick ?

— Pas franchement. Je sais distinguer un blanc d'un rouge.

Jordan le gratifia d'un clin d'œil complice.

— Et maintenant, d'un rosé.

— C'est vrai.

Xander porta son regard de l'un à l'autre. Apparemment, ce qu'il vit ne lui plut guère.

— Au risque de vous paraître trop empressée, je suis impatiente de visiter votre cave ! s'exclama Jordan. Vous n'avez de cesse de me surprendre.

Nick dut admettre qu'il était impressionné. Rares étaient les civils capables de jouer le jeu avec un tel naturel, surtout devant un individu qui blanchissait de l'argent pour un cartel.

La proposition de Jordan enchanta leur hôte.

— Pour rien au monde je ne ferais attendre une femme aussi splendide... Je vous y emmène. Suivez-moi.

Ils franchirent la porte et descendirent un escalier en verre.

— Puisque c'est votre premier passage au *Bordeaux*, Nick, vous aurez droit à la visite à cinquante *cents*.

En fait, songea-t-il avec ironie, le FBI avait déjà versé cinq mille dollars en échange de ce privilège.

— Volontiers.

— Vu la valeur de ma collection, cette porte est verrouillée en temps normal. Mais je fais confiance à mes invités. Du moins à la plupart d'entre eux. Quant aux autres, je compte sur les muscles du vigile que j'ai posté en bas.

Nick ne tarda pas à comprendre les raisons pour lesquelles Eckhart s'était équipé d'un tel système de sécurité. Il avait étudié les plans de l'édifice et savait que la cave occupait une large partie du sous-sol. En revanche, ni les plans ni la description de Jordan ne l'avaient préparé à l'ampleur des lieux.

Ils se tenaient maintenant face à trois espaces vitrés rectangulaires d'environ sept mètres sur trois. À travers les cloisons en verre, Nick vit des dizaines de rangées de casiers en ébène qui contenaient, selon le rapport de Huxley, plus de six mille bouteilles. Les portes en verre de plusieurs centimètres d'épaisseur étaient flanquées de panneaux d'alarme sophistiqués.

— Rouges, blancs, champagnes et vins de dessert, annonça Xander en désignant les chambres tour à tour. Naturellement, la température est adaptée aux différents flacons.

Naturellement…

— Il y en a pour plus de trois millions de dollars, poursuivit Xander sans prendre la peine de masquer sa fierté. Je vous l'accorde, l'essentiel est destiné à être servi au *Bordeaux*. Ma collection personnelle vaut environ un million de dollars.

Nick résista à la tentation de lui demander quelle part de cet assortiment il avait achetée avec l'argent de la drogue de Roberto Martino.

— Ça fait beaucoup de vin, murmura-t-il.

Une dizaine de personnes étaient rassemblées devant une porte à leur droite qui menait à une salle de dégustation privée. Un quadragénaire robuste se précipita vers Jordan.

— Vous arrivez à pic ! lança-t-il avec enthousiasme. J'ai besoin de vous. Vrai ou faux : il y a deux ans, lors de cette même soirée, vous et moi bavardions ici quand un type complètement ivre est sorti des toilettes, la braguette ouverte et le veston rentré dans son pantalon comme une chemise.

Et il nous a tenu la jambe pendant plus de cinq minutes sans s'en apercevoir.

— Vrai, confirma-t-elle. Il nous a assurés qu'il n'avait jamais été soûl de sa vie tant son seuil de tolérance à l'alcool était élevé.

L'homme pivota fièrement vers les autres.

— Vous avez entendu ? Je vous l'avais dit. Jordan, puis-je vous accaparer quelques instants ? Je dois convaincre ces messieurs que je n'invente rien.

Jetant un coup d'œil vers Nick, elle sourit.

— Bien sûr.

Nick la regarda s'éloigner, Xander aussi. Puis les deux hommes se firent face. Xander lança la première salve.

— Alors... Vous ne m'avez pas précisé quel était votre métier, Nick.

— Je travaille dans l'immobilier.

— Vous êtes entrepreneur ?

— Investisseur. Je loue des appartements, surtout à des étudiants et à de jeunes diplômés.

— Ce secteur a beaucoup chuté ces dernières années, n'est-ce pas ?

— Dieu merci, le marché des locations reste stable.

— Qui aurait imaginé qu'un tel business pouvait être lucratif ? s'esclaffa Xander.

— Moi...

Il y eut un silence.

— Me permettez-vous un petit conseil, Nick ?

Une centaine de réponses insolentes lui traversèrent l'esprit, mais il sut tenir sa langue. Le moment était malvenu de provoquer une scène et d'attirer l'attention du vigile. Il décida donc de modérer ses sarcasmes.

— Je suis tout ouïe...

— Jordan vous trouve peut-être divertissant pour l'instant, décréta Eckhart d'un ton satisfait, mais combien de temps cela durera-t-il, d'après vous ? Je vois défiler beaucoup d'hommes comme vous dans mes clubs et mes restaurants. Vous avez beau arborer un beau costume et vous mettre dans la peau du personnage, vous savez comme moi que vous n'êtes pas à sa hauteur. Elle ne tardera pas à s'en rendre compte.

Nick fit mine de réfléchir.

— Intéressant. Toutefois, j'ai la sensation que Jordan est assez grande pour décider elle-même qui est ou n'est pas digne d'elle.

Il serra brièvement l'épaule d'Eckhart.

— Buvez un coup, mon vieux. Vous semblez en avoir besoin.

Sur ce, il s'éloigna.

— Tout va bien ? demanda Jordan à Nick lorsqu'il la rejoignit.

— Je faisais connaissance avec notre hôte. À présent, que faut-il faire pour avoir droit à un verre ?

Elle inclina la tête.

— Suivez-moi.

Jordan entraîna Nick dans la salle de dégustation privée au décor chaleureux. Les invités étaient libres d'aller et venir durant toute la soirée mais plusieurs d'entre eux s'étaient installés dans les fauteuils devant le feu de cheminée, sachant que c'était là que l'on servait les crus les plus exceptionnels. Un homme d'une quarantaine d'années en complet veston – le sommelier que Xander avait engagé pour l'occasion – se tenait derrière le bar pour verser de petites quantités de vin dans des verres en cristal. Au fond se dressait le vigile, véritable armoire à glace, l'œil aux aguets.

Jordan attira l'attention du sommelier et celui-ci lui sourit.

— Mademoiselle Rhodes ! J'espérais vous voir ! Je vous ai réservé une petite merveille. Un château-sevonne 1990.

Un château-sevonne 1990 ! Le cœur de la jeune femme battit la chamade.

— Tu as poussé un cri ? s'étonna Nick.

Elle s'efforça de paraître indifférente.

— Pas du tout.

— Bon, d'accord, un tout petit cri, convint-elle. Parce que ce millésime a la réputation d'être extraordinaire. Exaltant. Sublimissime…

— Une extase orgastique, suggéra-t-il, une lueur espiègle dans les yeux.

Le sommelier se retira précipitamment.

— C'est malin ! gronda Jordan. Tu l'as chassé avant qu'il ne puisse nous parler de ce vin.

— Quelle importance ? Au bout du compte, ils ont tous plus ou moins le même goût, non ?

— Franchement, Nick, tu me désespères.

— Tu abandonnes déjà ? la taquina-t-il en s'adossant contre le comptoir.

Elle le dévisagea, hésitante. Puis elle prit les deux verres et lui en tendit un.

— Pas encore. Non, non ! s'indigna-t-elle en posant une main sur la sienne alors qu'il s'apprêtait à boire… Avec un nectar tel que celui-ci, les préliminaires sont indispensables.

— Les préliminaires ?

— Parfaitement. Voici comment il faut procéder. Lors d'une dégustation, tu dois respecter les phases suivantes : examen visuel, examen olfactif, examen gustatif, ensuite tu craches ou tu avales.

— Et tu préfères… ?

— Seuls les poids plumes rejettent… Première étape : on regarde.

— Ça m'a tout l'air d'être du vin.

Elle secoua la tête.

— Non. Tiens ton verre par le pied et penche-le au-dessus de cette nappe blanche, expliqua-t-elle en lui montrant. Tu dois scruter le centre, pour déterminer la couleur de la robe, puis les bords pour apprécier la nuance.

— Dans quel but ?

— La couleur témoigne de l'âge du vin. Maintenant, tu le fais tournoyer afin d'observer la vitesse à laquelle les larmes s'écoulent sur la paroi. Plus elles descendent lentement, plus le taux d'alcool est élevé.

— La loi exige que l'on imprime le taux d'alcool sur l'étiquette. C'est un indice, non ?

— Si nous réservions tes questions et commentaires pour la fin du rituel ?

Il haussa les épaules.

— À ta guise. Je suis impatient de cracher ou d'avaler.

— Deuxième étape : l'examen olfactif.

— Interminables, ces préliminaires. Ils ont peut-être des vins exprès pour les coups vite faits ?

Jordan eut du mal à ne pas glousser. « Ne ris pas ! Tu ne feras que l'encourager. » Elle poursuivit, imperturbable :

— Tu le fais tournoyer pour libérer les arômes, puis tu le humes… Pas trop longtemps, sans quoi ton odorat va s'émousser et t'empêcher de les distinguer les uns des autres.

— Une fatigue olfactive ?

— Essaie encore. Dis-moi ce que tu sens.

Il s'exécuta.

— Une odeur de vin.

Jordan le gratifia d'un sourire encourageant.

— Quand j'ai débuté, j'étais comme toi. Il faut un certain temps pour développer son nez.

— Très bien, madame l'experte. Et toi, que sens-tu ?

— Désolée. Je ne dirai rien pour l'instant. À présent, bois une gorgée et aspire un filet d'air. Je te recommanderais bien de recracher ensuite mais ce cru coûte mille cinq cents dollars la bouteille. Si tu le recraches, une vingtaine de personnes risquent de mourir d'une crise cardiaque.

Elle vit l'air stupéfait de Nick.

— Quoi ?

— Mille cinq cents dollars la bouteille ?

— Oui. Santé !

Elle goûta le sien, l'avalant les yeux fermés. Un flot de bonheur la submergea tandis qu'une sensation de chaleur se répandait à travers son corps, la transportant au paradis avant de s'estomper petit à petit. Le comble de l'extase.

Elle ouvrit les yeux et constata que Nick la fixait.

— C'est bizarre, j'ai envie d'une cigarette et d'une bonne douche... Dis-moi.

— Quoi ?

— Ce que tu dis en général après avoir dégusté un vin de qualité.

— Je décris ce que j'ai ressenti...

— C'est-à-dire ? insista-t-il, le regard sur ses lèvres.

— Celui-ci est rond, franc. Puissant. Long en bouche.

— Tu te fiches de moi ?

— Pas du tout ! Je n'y peux rien si tu prends tous mes commentaires au premier degré. Le vin est une affaire de sensualité.

Ralph Velasquez les aborda.

— Alors, ce sevonne ? Long en bouche, n'est-ce pas ? Rond. Franc. Puissant...

— Il paraît, oui, grogna Nick.

— Nick est novice en matière d'œnologie, intervint Jordan.

— En tout cas, vous êtes entre de bonnes mains, approuva Ralph.

À cet instant, elle aperçut Xander qui se dirigeait vers la sortie. Le moment était venu pour elle de se lancer.

— Si vous voulez bien m'excuser, tous les deux, j'ai besoin de discuter affaires avec Xander. Tu survivras sans moi, Nick ?

— Mais oui. Je suis sûr que je trouverai le moyen de m'amuser en ton absence.

Ralph lui tapa sur l'épaule.

— Ne vous inquiétez pas, Jordan. Je veillerai à ce qu'il ne commette pas de bêtises.

— Merci, Ralph, c'est gentil, répliqua-t-elle en se disant qu'elle en rirait à gorge déployée plus tard. À tout à l'heure ?

Selon leur plan, Nick devait regagner la terrasse après avoir fini d'installer ses micros.

Il soutint son regard.

— À tout à l'heure.

11

Jordan rattrapa Eckhart dans l'escalier de verre.

— Xander, attendez !

Il pivota vers elle.

— Jordan. Vous passez une bonne soirée, j'espère ?

— Comme chaque année.

Elle s'immobilisa une marche plus bas que lui et montra son verre.

— Ce sevonne est fantastique et vos sélections du jour, irréprochables.

— J'ai prêté attention à vos conseils, l'an dernier.

— J'en suis flattée. À propos de vins remarquables, j'ai quelque chose qui pourrait vous intéresser.

— Quoi ?

— Un pétrus 2000.

Le regard d'Eckhart s'illumina.

— Je vous écoute…

— Une caisse qui sera mise en vente aux enchères par Sotheby's.

— Où et quand ?

À Hong Kong, au mois d'avril, mais elle se garda bien de le lui préciser. Elle allait devoir ruser, ce qui l'ennuyait, mais c'était le moyen le plus facile de le maintenir éloigné de Nick. Elle prit une profonde inspiration et passa à l'attaque.

— Venez avec moi sur la terrasse, je vous raconterai tout.

Sa voix lui parut trop haut perchée, son débit trop rapide. Elle parvint cependant à conserver son calme pendant que Xander réfléchissait. Pour finir, il leva son verre.

— Qu'est-ce qu'on attend ?

D'un geste, il l'invita à le précéder. Elle parvint à reprendre une respiration normale tout en se demandant comment l'on pouvait survivre en tant qu'infiltré. Trente minutes après le début de sa première – et dernière – mission, elle était sur le point de faire une crise d'urticaire. Elle devait à tout prix se ressaisir.

Pour le meilleur ou pour le pire, elle était désormais seule, face au danger.

Nick patienta cinq minutes après le départ de Jordan. Il écouta poliment les invités autour de lui, attirant le moins possible l'attention sur sa personne tandis qu'ils discutaient tannins, charpentes et autres cépages, un véritable charabia qui le captivait beaucoup moins que le cours d'œnologie de Jordan. Lorsqu'il eut fini son verre de château-machin-truc, il demanda à Ralph où se trouvaient les toilettes.

— Au bout du couloir, à droite.

Nick le savait déjà, bien sûr. Il s'excusa et quitta la pièce. Il passa devant les toilettes et poursuivit son chemin jusqu'à l'escalier. Si quelqu'un le remarquait, il n'était qu'un individu parmi d'autres, perdu au sous-sol après avoir bu un verre de trop.

Il marqua une pause de l'autre côté de l'escalier, sur le seuil du couloir menant au bureau de Xander. S'assurant que l'endroit était désert, il s'avança. La première porte à sa gauche était celle d'une salle de stockage. La suivante, sur la droite, d'un immense local réservé aux systèmes de chauffage et de climatisation. Parvenu devant celle qui l'intéressait, il tourna la poignée.

Verrouillée.

Il s'y était préparé mais il avait préféré tenter le coup. Il glissa une main sous son veston et sa chemise pour s'emparer de la pochette fixée à sa hanche et contenant une série de crochets. À force de jouer le rôle d'un criminel pendant six mois, il avait perfectionné certaines techniques : la serrure d'Eckhart ne devrait pas lui poser le moindre problème. Prenant soin de ne laisser aucune trace de son passage, il inséra une pièce de métal plate et étroite dans le trou en exerçant une petite pression. Puis il se servit d'un pic pour remonter les pointes l'une après l'autre.

Et voilà !

Nick pénétra dans l'antre de l'escroc et referma la porte à clé derrière lui. Il inséra un minuscule récepteur dans son oreille.

— Jack ? J'y suis…

La voix de Pallas lui parvint sans aucune interférence.

— On dirait qu'Eckhart et toi vous entendez à merveille.

Nick avait au moins la confirmation que le micro scotché sur sa poitrine fonctionnait.

— Eckhart a de la chance que j'aie décidé de me comporter en gentleman. Sans quoi, je serais tenté de lui jeter mon manteau sur la tête, de le balancer dans le coffre de ma voiture et de lui montrer ce qui arrive à ceux qui offensent un agent du FBI.

— Et c'est moi que l'on traite de sadique ! soupira Pallas. Enfin ! Tu auras au moins appris une ou deux choses sur le bon vin. Je suis content de savoir que tu t'efforces de t'améliorer.

— La procureure fédérale est-elle au courant de la manière dont tu passes tes samedis soir ?

Nick scruta la pièce avant de se mettre au travail. Elle était telle que Jordan la lui avait décrite : un énorme bureau en acajou, deux murs d'étagères encastrées, un meuble classeur – verrouillé –, et deux fauteuils en cuir de part et d'autre d'une table basse. Cinq mouchards suffiraient amplement.

Il chercha les prises électriques et en repéra deux, au bas des murs. Il examina le plafonnier. Parfait. Et de trois ! Il poserait le quatrième engin sous la table basse et le cinquième, sous le bureau.

Nick se munit d'un petit tournevis.

— Vous êtes prêts, les gars ?

— Affirmatif, répondit Jack. Dès que tu auras installé le premier, on fera un essai.

Deux nuits auparavant, après la fermeture du *Bordeaux*, Reed et Jansen, les techniciens installés dans la fourgonnette avec Jack, avaient fixé un récepteur avec une antenne sur l'un des appareils de climatisation à l'extérieur du bâtiment. Le récepteur transmettrait le signal sur un rayon de plusieurs pâtés de maisons, ce qui leur permettrait de garer le sous-marin assez loin du restaurant.

— L'agent Simms est connecté ?

— Je suis là, chuchota Simms, la « barmaid » dans le salon VIP. J'ai un visuel sur Eckhart et Rhodes. Ils viennent de monter l'escalier.

— Jack, pourquoi ne suis-je pas relié au micro de Jordan ? demanda Nick d'un ton impatient.

Il voulait être sûr de pouvoir écouter sa conversation avec Xander. À la fois par souci de sécurité et parce que… Simple conscience professionnelle.

— On est dessus, répondit Jack. Entre tes mouchards et les micros, on jongle avec huit fréquences différentes. Ah ! Reed m'annonce que tu devrais entendre Jordan et Eckhart.

— Comment avez-vous appris la nouvelle ? demanda Xander à Jordan tandis qu'ils traversaient le salon VIP. Je n'ai pas entendu parler d'une caisse de pétrus 2000 à vendre.

— J'ai mes sources.

En fait, ça n'avait rien de mystérieux. Une de ses amies de l'université travaillait dans la division « vins » chez Sotheby's et la tenait au courant des grands millésimes à vendre avant leur inscription au catalogue.

Tous deux s'arrêtèrent devant le bar.

— En quoi puis-je vous aider, monsieur Eckhart ? s'enquit la rousse.

— Que voulez-vous, Jordan ?

— Difficile. Vous connaissez mon faible à la fois pour le vineyard 29 et le quintessa.

— Fermez les yeux. Je vais vous surprendre.

Jordan se demanda comment elle aurait affronté cette situation si elle n'avait pas été en mission d'infiltration avec le FBI. Elle était arrivée accompagnée d'un autre homme, pourtant Xander flirtait ouvertement avec elle. En définitive, elle ne pouvait pas se permettre de réagir comme elle l'aurait fait d'ordinaire. Pour l'heure, tout ce qui comptait, c'était d'occuper Xander. Elle ferma les yeux.

Elle l'entendit chuchoter quelque chose à la barmaid.

— Je parie que vous allez me tendre un piège ! Vous allez me proposer un vin à dix dollars la bouteille pour voir si je sais reconnaître la différence, dit Jordan.

— Comme s'il m'arrivait de servir de la piquette ! s'offusqua Xander. Voilà. Vous pouvez ouvrir les yeux.

Elle s'exécuta et constata que Xander tenait deux verres.

— Nous y allons ? suggéra-t-il en indiquant la terrasse d'un signe de tête.

Plusieurs invités les observèrent, intrigués, tandis qu'ils se faufilaient à travers le salon VIP et le hall. Dès qu'ils furent dehors, Jordan fut assaillie par un souffle d'air froid.

— Par ici, l'encouragea Eckhart en la menant vers une lampe à infrarouge, près du balcon.

Tous les autres étaient à l'intérieur et Jordan s'interrogea : pouvait-on les voir ? Dieu merci, Nick pouvait au moins l'entendre.

Xander lui porta un toast.

— Joyeuse Saint-Valentin.

— Merci.

Elle but une gorgée de vin, savourant ses arômes de fruits rouges, de pétales de roses, de chocolat et de piment.

— Vineyard 29.

— Vous êtes douée, commenta Xander.

— C'est un de mes préférés.

— Combien de personnes savent-elles apprécier ses qualités ? Ou plutôt, combien de personnes peuvent-elles s'offrir ce millésime pour en découvrir les vertus ? Vous et moi avons tant en commun, Jordan.

« Euh... pas tant que ça », songea-t-elle. Primo, elle n'avait pas l'habitude de fréquenter des criminels notoires. Deuxio, contrairement à Eckhart elle avait horreur du snobisme...

Elle décida de changer de sujet et se tourna pour admirer le panorama sur les gratte-ciel illuminés de Chicago.

— Quelle vue magnifique !

Xander se rapprocha d'elle et plongea son regard dans le sien.

— En effet, convint-il en repoussant une mèche de ses cheveux derrière son oreille.

« Au secours ! »

Jordan réfléchit à la meilleure façon de se dérober. Pourvu que Nick se dépêche car pour elle, la situation devenait délicate.

« Kyle, mon frère chéri, si tu récoltes ne serait-ce qu'une amende pour stationnement gênant après ça, je t'appellerai Sawyer jusqu'à la fin de tes jours. Ah ! Et je dirai à papa que c'est toi qui as cassé le rocking-chair de maman en te battant avec Danny Zeller alors que tu as accusé le chien. »

— Vous me flattez, Xander, susurra-t-elle en reculant subrepticement. Cependant, j'ai vu des photos de votre amie top model. Elle est sublime.

— Allons, Jordan ! Vous savez que vous êtes belle. Si votre cavalier ne vous l'a pas répété au moins dix fois ce soir, c'est un imbécile.

— Il ne serait pas très content s'il surprenait notre conversation.

— C'est vous qui avez proposé de venir ici.

— Pour vous parler du pétrus.

— Vous auriez pu m'envoyer un courriel, éluda Xander. Non, vous teniez à me voir seule à seul ce soir et je crois savoir pourquoi...

Du bout du doigt, il effleura sa joue.

— Xander, je suis désolée si vous avez mal interprété mes intentions. C'est avec Nick que je suis venue.

Elle repoussa sa main. Kyle ou pas Kyle, elle ne supporterait pas que ce salaud de gangster la touche. Devant cette rebuffade, l'expression d'Eckhart se durcit.

— Excusez-moi… monsieur Eckhart ?

Jordan sursauta et pivota sur elle-même. La barmaid rousse se tenait à quelques mètres d'eux, sur le seuil de la porte menant au restaurant.

— Oui ? glapit-il, agacé.

— Nous n'avons presque plus de zinfandel. Que souhaitez-vous que nous ouvrions à la place ?

Il fronça les sourcils.

— C'est impossible. J'avais prévu une quantité largement suffisante. Pardonnez-moi un instant, Jordan.

Jordan le regarda s'éloigner avec un soupir de soulagement. De toute évidence, quelqu'un veillait sur elle depuis son poste au sein du bureau de Xander. Elle baissa les yeux sur le micro dissimulé dans son soutien-gorge.

— Bien joué, Brooklyn, murmura-t-elle.

Après une discussion de quelques minutes, la barmaid disparut. Xander rejoignit Jordan en hochant la tête.

— Je n'y comprends rien. C'est la cinquième année d'affilée que j'organise cette réception. Je sais ce qu'il faut commander. Je lui ai expliqué qu'elle trouverait des caisses supplémentaires de zinfandel dans la réserve mais elle a insisté. Puis, tout à coup, elle s'est rappelé qu'elle avait oublié de vérifier les casiers derrière la porte.

Il leva les yeux au ciel.

— Petite écervelée ! Je la renverrai dès la fin de la soirée.

« La petite écervelée vous écoute, pensa Jordan. Elle va bien s'amuser à vous passer les menottes d'ici peu. »

Xander reprit sa place. Cette interruption lui avait permis de se calmer.

— Alors, où en étions-nous ?

— Le pétrus…

— Non, non. Nous parlions de nous.

— Xander, il n'y a pas de « nous ».

— Dommage, car j'en rêve depuis longtemps. En vous voyant au bras de Stanton, je m'en suis voulu de ne pas vous l'avoir avoué plus tôt.

— Justement, Xander : je suis ici avec Nick.

— Ça ne durera pas entre vous.

— Qu'est-ce qui vous pousse à le croire ?

— Vous méritez mieux. Nick Stanton est un moins que rien.

— Un moins que rien qui va vous basculer dans le fleuve si vous ne laissez pas ma cavalière tranquille !

Jordan pivota et aperçut Nick, mais ce n'était plus l'homme décontracté et impertinent qu'elle connaissait.

Il était furieux, et arborait une expression sombre et menaçante. Sa voix, en revanche, demeura posée.

— Vos invités vous cherchent, Eckhart.

Xander changea de position, tergiversa quelques secondes, puis se résolut à s'éclipser.

— Nous conclurons cette conversation plus tard, Jordan… Stanton, vous commencez vraiment à m'agacer.

Nick ne cilla pas.

— Tant mieux.

Xander quitta la terrasse à grands pas. Nick le regarda partir avant de s'adresser à Jordan, d'un ton radouci.

— Tout va bien ?

— Oui. Je n'étais pas très à l'aise, je l'avoue.

— Tu t'en es bien sortie.

En effet, elle n'était pas mécontente de sa prestation, hormis le moment où elle avait craint de faire une crise d'urticaire.

Jordan choisit ses mots avec soin afin de ne pas éveiller la curiosité d'éventuelles oreilles indiscrètes.

— Tu ne t'es pas trop ennuyée en mon absence ?

Nick fourra les mains dans ses poches et haussa les épaules.

— J'ai trouvé de quoi me distraire.

Elle ne put s'empêcher de sourire. Il paraissait toujours si sûr de lui, comme si rien ne pouvait l'atteindre.

— Épatant !

Tandis qu'ils s'observaient, face à face, un silence étrange les enveloppa. Un coup de vent balaya les épaules nues de Jordan. Leur mission touchant à sa fin, ses relations avec le FBI allaient s'arrêter là. Chacun repartirait de son côté et bientôt, elle aurait de quoi amuser ses copines avec cette histoire…

Elle ne savait pas encore sous quel jour elle leur présenterait Nick. Sans doute leur dirait-elle qu'il l'exaspérait la plupart du temps…

— Tu frissonnes. Nous ferions mieux de rentrer…

— Oui.

Elle soutint son regard encore un instant puis tourna les talons pour regagner l'entrée du restaurant.

Nick se racla ostensiblement la gorge.

— Ma chérie ? roucoula-t-il, une main tendue vers elle.

Lentement, Jordan couvrit la distance qui les séparait et glissa sa main dans celle, ferme et chaude, de Nick.

— Tu t'amuses comme un fou, n'est-ce pas ?

Il rit aux éclats.

— Beaucoup plus que je ne l'avais imaginé, Rhodes. Je le reconnais.

12

Au fond du salon VIP, Eckhart bavardait avec un groupe d'amis. Il suivit des yeux Jordan et Stanton tandis qu'ils se dirigeaient vers le bar, et fronça les sourcils en voyant la jeune femme sourire à Nick.

Du coin de l'œil, il aperçut Will Parsons, l'un des deux gérants du *Bordeaux*.

— Excusez-moi un instant…

Xander abandonna le cercle et rejoignit Will.

— Tout se déroule à merveille, décréta ce dernier.

« Bien sûr ! » pensa Xander. Sauf qu'un connard propriétaire d'immeubles de location qui ne connaissait rien au vin flirtait avec la femme qui aurait dû être à son bras.

— Appelez-moi Gil Mercks, ordonna-t-il en faisant allusion à l'homme qu'ils sollicitaient pour gérer toutes les « situations délicates ». Dites-lui que je veux le voir immédiatement. Qu'il passe par-derrière et m'appelle sur mon portable pour me prévenir de son arrivée. Il est important qu'aucun de mes invités ne le remarque.

Will parut surpris.

— Mercks ? Ce soir ? On a un problème de sécurité ? Je viens de jeter un coup d'œil au sous-sol et j'ai échangé deux mots avec le vigile. Il n'a rien constaté d'anormal.

Xander avait horreur des gens qui posaient trop de questions.

— C'est une affaire personnelle. Convoquez Mercks immédiatement.

Xander descendit dans son bureau. Mercks venait de lui laisser un message annonçant qu'il était à cinq minutes du *Bordeaux*. Il avait donc eu quelques instants pour échapper à ses invités qui voulaient tous le féliciter pour sa réception. En général, il adorait ces marques d'affection, mais pas ce soir.

Il s'installa dans son fauteuil et passa une main dans ses cheveux. Pendant cinq mois, il avait bêtement patienté avant de faire un pas vers Jordan. Il en avait eu l'occasion dans sa boutique, lorsqu'ils avaient évoqué son expédition dans la vallée de Napa, mais cet idiot de Martin avait surgi à l'improviste. Puis elle avait été totalement absorbée par les frasques de son frère. Plusieurs semaines, puis plusieurs mois s'étaient écoulés sans que se présente la moindre opportunité. Enfin, il avait décidé de la provoquer lui-même – lors de sa soirée de la Saint-Valentin. Après tout, le vin était leur passion commune. Jordan comprendrait le message en découvrant le menu de dégustation.

Seulement voilà : son plan avait échoué.

Au plan professionnel, Xander avait tout réussi. Propriétaire de plusieurs restaurants et night-clubs de Chicago, il avait décidé l'année passée d'agrandir son empire. Avec l'aide secrète du notoire – mais puissant – Roberto Martino, il avait l'intention de s'imposer sur les quatre grandes scènes de l'industrie de la nuit : New York, Las Vegas, Los Angeles et Miami. En échange de ses services – blanchir l'argent de la drogue de Martino par le biais du flux de trésorerie du *Bordeaux* – Martino acceptait de soutenir financièrement ses projets au travers d'un réseau complexe de sociétés fictives. Eckhart avait déjà acquis des locaux à Los Angeles et à New York pour y créer des discothèques qui devaient ouvrir dès l'été ainsi qu'un sixième restaurant à Chicago.

D'accord, cela l'obligeait à traiter avec Trilani. Et bien sûr, il savait qu'il enfreignait la loi. Mais Xander n'avait jamais eu peur d'enfreindre les règles – certains le qualifiaient d'arriviste impitoyable – et selon lui, le jeu en valait la chandelle. À ses yeux, le monde était une huître et il avait l'intention de la gober avec un bon sancerre…

Sa vie personnelle, en revanche, était un désastre.

Xander était difficile. Il avait couché avec nombre de ses ravissantes clientes, mais ce n'étaient que des histoires de sexe. À ce jour, il n'avait rencontré qu'une seule femme qu'il considérât comme son égale, par son sens des affaires et son amour du vin : Jordan Rhodes…

Le demi-milliard de dollars dont elle était l'héritière ne la rendait que plus attirante encore.

Avec cet argent au bout des doigts, il n'aurait plus à s'appuyer sur Martino – un arrangement qu'il ne tenait pas à prolonger indéfiniment. Par conséquent, il était prêt à se battre pour Jordan Rhodes et son somptueux héritage. Or dans toute bataille, la première étape consistait à connaître son ennemi.

La sonnerie de son portable coupa court à ses réflexions.

— Vous êtes là ?
— Oui. La porte de derrière.
— J'arrive…
Xander quitta son antre en s'assurant que personne ne traînait dans les parages. Les voix de ses invités lui parvenaient depuis le salon VIP. Par chance, la porte se trouvait tout à fait à l'autre bout du couloir.
Il tapa le code de sécurité sur le panneau pour désactiver l'alarme. Lorsqu'il lui ouvrit, Mercks entra. Ni beau ni laid, il avait le front dégarni et portait des lunettes. Engoncé dans son pardessus gris, il paraissait totalement inoffensif. Sans doute pour ne pas éveiller les soupçons.
— Que se passe-t-il, Eckhart ? demanda Mercks en ôtant ses lunettes embuées pour les essuyer avec le bout de son écharpe.
Xander l'invita d'un geste à le suivre.
— Une urgence. Venez, je vais vous expliquer.
De retour dans son bureau, il fit signe à Mercks de prendre l'un des fauteuils autour de la table basse.
— Parsons m'a dit que c'était personnel.
— Exact… Il y a un homme parmi mes invités qui me pose un problème. Il s'appelle Nick Stanton.
— Quel genre de problème ?
— La jeune femme avec laquelle il est venu aurait dû être avec moi.
— Ah… Et en quoi puis-je vous aider ?
— Une filature. Je veux tout savoir sur lui.
— Entendu, répondit Mercks, impassible. Que savez-vous déjà ?
— Pas grand-chose. Il travaille dans l'immobilier. Il loue des appartements. Le temps presse. Je veux que vous remuiez la boue avant que lui et elle

ne deviennent trop proches. Vous allez commencer dès maintenant.

— J'ai un gars qui pourra être là d'ici à cinq minutes. Mais avant tout, soyons clairs : ce genre de mission de surveillance n'est pas donné.

— Peu importe, éluda Xander. En ce qui concerne cette femme, rien n'est trop cher.

— Ensuite, il est possible que ce type n'ait rien à se reprocher…

Xander repensa à l'expression de Nick lorsqu'il avait surgi sur la terrasse.

— Il n'a rien d'un enfant de chœur. Vous trouverez. On trouve toujours, n'est-ce pas ?

13

Nick était réticent à l'admettre, mais Huxley avait eu raison.

Toute la soirée, les gens l'avaient observé avec curiosité. Ils avaient multiplié les efforts pour engager une conversation avec lui et – à l'exception d'Eckhart – l'avaient questionné poliment au sujet de Jordan sans jamais se montrer indiscrets. Ce qui les intéressait le plus, c'était de savoir comment ils s'étaient rencontrés. Si Jordan l'appréciait, alors eux aussi.

Cette philosophie s'appliquait aussi au vin. Les invités attendaient tous d'avoir l'avis de Jordan avant d'exprimer une opinion similaire. Peut-être était-elle très douée, mais Nick les soupçonnait surtout d'éprouver envers elle une fascination sans bornes. Elle était intelligente, belle, ridiculement riche – du moins potentiellement – et sa famille avait récemment fait l'objet d'un scandale public. De quoi la rendre irrésistible. Dans le cercle restreint des œnologues de Chicago, elle brillait comme une étoile.

Nick la contempla tandis qu'elle bavardait avec un couple de trentenaires. Se rendait-elle compte de l'influence qu'elle avait sur son entourage ?

Force lui était d'avouer qu'elle ne correspondait en rien à l'image qu'il s'était faite d'elle lors de leur première rencontre. Il s'attendait à tout instant à ce qu'elle manifeste un signe quelconque d'excentricité ou de folie mais jusqu'ici, elle s'était comportée de façon parfaitement… normale.

— Comment avez-vous connu Jordan ? s'enquit un homme en face de lui.

C'était la sixième fois qu'on lui posait la question en moins d'une demi-heure. « Une histoire amusante… Je suis passé à sa boutique pour lui proposer un deal : la libération de son frère en échange de sa collaboration à une mission d'infiltration du FBI ! »

— Vous savez comment se produit ce genre de choses, répondit-il. Je me suis arrêté au magasin acheter une bouteille de vin pour mon gérant. Il s'était fiancé pendant le week-end et j'avais envie de lui offrir un petit cad…

Son portable vibra dans la poche de son veston et il fronça les sourcils.

— … excusez-moi, c'est peut-être pour le travail.

Il consulta l'écran et sentit son cœur se serrer. Un problème.

— C'est Ethan, expliqua-t-il en voyant l'air inquiet de Jordan, qui s'était tournée vers lui. Il faut à tout prix que je lui réponde.

— Bien sûr…

Il s'éclipsa dans le hall.

— Ethan ! s'exclama-t-il, mine de rien. Quelle surprise ! Tu ne t'arrêtes donc jamais de travailler ?

Jack alla droit au but.

— Tu es repéré. Quelqu'un va vous suivre jusqu'à la maison, ce soir.

Nick serra les mâchoires.

— Comment cela a-t-il pu arriver ?

— Eckhart veut Jordan pour lui. Il a embauché un type pour vous filer et dégoter tout ce qu'il peut concernant Nick Stanton.

Il ne manquait plus que cela !

— Je vais devoir te rappeler pour en discuter, répliqua Nick. De toute évidence, ça change la donne.

— J'ai tout de même une bonne nouvelle.

— Laquelle ?

— Au moins, nous avons la certitude que les mouchards dans le bureau d'Eckhart fonctionnent.

Ayant compris que l'interlocuteur de Nick n'était autre que son collègue du FBI, Jordan attendait avec impatience des explications.

Nick jouait son rôle à merveille, mais elle nota un changement subtil dans son comportement.

En général, elle se rendait avec grand plaisir à la réception annuelle de Xander mais à présent, elle comptait les minutes dans l'espoir de pouvoir partir avec Nick sans attirer l'attention…

Deux longues heures plus tard, ils remontèrent à l'arrière de la limousine. Dès que le chauffeur eut claqué la portière, Jordan ouvrit la bouche.

Nick posa une main sur sa jambe et la pinça juste au-dessus du genou. Il soutint son regard et secoua imperceptiblement la tête pour lui enjoindre de se taire.

Elle referma la bouche et scruta son visage en quête d'autres signes.

— Chez vous, mademoiselle Rhodes ? s'enquit le chauffeur.

— Oui, répondit Nick à la place de Jordan… Tu as passé une bonne soirée, ma chérie ?

Jordan ignorait ce qui se tramait, mais elle comprit qu'elle devait jouer le jeu.

— Excellente. Et toi ?

— Cette introduction au monde de l'œnologie m'a passionné. À propos, tu te rappelles ce projet sur lequel je travaille avec Ethan ? Il vient de m'envoyer une nouvelle inattendue par mail. Regarde…

Il lui tendit son portable et elle put lire sa mise en garde sur l'écran :

Sommes surveillés.

Fais comme moi.

Un frisson lui parcourut l'échine. Surveillés par qui ? Pourquoi ? Elle rendit son appareil à Nick, le cœur battant.

— En effet, c'est une nouvelle inattendue.

Elle se tut, craignant que sa voix ne trahisse son angoisse.

Contre toute attente, Nick posa une main réconfortante sur la sienne.

— Je maîtrise. Fais-moi confiance, murmura-t-il.

Jordan reprit son souffle, rassurée. Elle ne connaissait pas bien Nick et ne l'appréciait guère, mais elle savait qu'elle pouvait compter sur lui pour surmonter tout obstacle imprévu. Elle ne bougea donc pas.

Quand la limousine s'arrêta enfin devant chez elle, elle résista à la tentation d'en bondir, s'obligeant à rester calme tandis que le chauffeur lui tendait le bon à signer. Elle y gribouilla ses initiales et le lui rendit.

— Merci.

— À votre service, mademoiselle Rhodes.

Elle ouvrit la portière et descendit sans attendre qu'il lui vienne en aide – une légère infraction à l'étiquette mais pour l'heure, jouer les jeunes femmes choyées n'était pas sa préoccupation principale. Se savoir poursuivie par des inconnus vous obligeait à réviser vos priorités.

Nick la rejoignit sur le trottoir et lui prit le bras pour l'accompagner jusqu'à la maison.

— Marche normalement. Nous sommes un couple comme un autre, de retour après une soirée en ville.

— Pourrais-tu au moins m'expliquer ? chuchota-t-elle.

— Un véhicule vient de se garer un peu plus loin. Le chauffeur a coupé le moteur – donc le chauffage – mais il n'a pas bougé. On ne reste pas ainsi sans raison par un temps glacial.

Il poussa le portail.

— Tu vas trop vite, Jordan.

En effet, elle avait accéléré le pas.

— On gèle ! protesta-t-elle tout bas. D'ailleurs, n'oublie pas que c'est la Saint-Valentin. Imaginons que mon personnage soit pressé d'en venir à l'essentiel ?

Nick la rattrapa en haut des marches du perron et la serra contre lui.

— Ce n'est pas une mauvaise idée...

Jordan réprima un cri.

— Que fais-tu ?

Il plongea son regard dans le sien et elle n'eut aucun mal à deviner ses intentions.

— Pourquoi ne pas jouer nos rôles jusqu'au bout ?

— Tu vas m'embrasser ici ? Maintenant ?

Il lui caressa la joue.

— Oui. Tâche d'être convaincante, souffla-t-il en prenant ses lèvres.

Au début, ce fut un baiser léger et taquin. Jordan mit une demi-seconde avant de réagir mais ensuite, elle se rendit compte qu'il se moquait d'elle.

« Zut ! » songea-t-elle. Si pour le succès de cette mission ils devaient s'embrasser, autant le faire bien.

Elle s'accrocha à son cou et se pressa contre lui. Bouche entrouverte, elle lui rendit son baiser et le sentit se raidir. Puis, tout à coup...

Leurs langues se rencontrèrent, brûlantes, avides, et Jordan gémit tandis qu'il la plaquait contre la porte d'entrée.

Sans interrompre son étreinte, il s'empara de son petit sac du soir accroché à son poignet et se mit à fouiller dedans. Il en extirpa sa clé, tendit le bras pour l'insérer dans la serrure. Ils s'engouffrèrent à l'intérieur.

Nick claqua la porte derrière eux et tous deux se figèrent, face à face.

— Tu embrasses tous tes amants factices avec autant de ferveur ? murmura-t-il d'une voix rauque.

— Vu que tu es le premier, oui, souffla-t-elle.

Elle afficha une expression aussi innocente que possible.

— Quoi ? Tu voulais que je me montre convaincante, j'ai obtempéré.

La sonnerie du portable de Nick les interrompit.

Jordan en profita pour se dégager des bras de Nick et se diriger vers la cuisine. Il la regarda s'éloigner, nota qu'elle avait porté un doigt à ses lèvres juste avant de disparaître. Lui-même était encore grisé par son ardeur. Question œnologie, il était ignare, mais il n'aurait aucune difficulté à décrire ce baiser : savoureux, sensuel et grisant.

Son téléphone sonnait toujours.

« Mais oui, bien sûr ! Au boulot ! » Il était censé se concentrer sur sa mission, tout de même !

— Pallas ? Oui, nous sommes chez Jordan. Dis-moi tout.

Dieu merci, le micro scotché sur sa poitrine était hors de portée du récepteur, sans quoi ses camarades dans le sous-marin auraient bien ri…

Tandis que Pallas le mettait au courant de la conversation qu'ils avaient interceptée entre Eckhart et Mercks, Nick ôta son manteau, dénoua sa cravate et déboutonna sa chemise. D'un geste sec, il arracha le dispositif.

— Nous avons été suivis par une berline noire, annonça-t-il dès que Jack eut terminé. Je n'ai pas pu distinguer le conducteur. Vous êtes toujours dans la fourgonnette ?

— J'y ai laissé Reed et Jansen. Je viens de débarquer au bureau où nous te préparons un profil détaillé. Davis est en route. Il veut que tu l'appelles.

Trente secondes plus tard, il était en ligne avec son patron.

— Pallas m'a tout rapporté, déclara Davis. Je n'ai pas encore décidé qui je vais inscrire sur ma liste noire.

— Xander Eckhart est en tête de la mienne.

— Possible, mais je ne peux rien faire contre lui pour l'instant. Et Huxley ? Il bosse sur ce dossier depuis des mois. C'est lui qui a choisi Jordan Rhodes. Il aurait pu nous prévenir qu'elle et Eckhart avaient une relation.

— Ce n'est pas le cas. Inutile d'en imputer la faute à Huxley, il ne pouvait pas imaginer un tel dénouement.

— Eckhart a mis quelqu'un à vos trousses. Vous savez ce que cela signifie.

« Oh, oui ! » Nick l'avait su dès l'instant où Pallas l'avait contacté pendant la réception.

— Cela signifie que je vais devoir jouer le rôle de Nick Stanton plus longtemps que prévu.

Davis marqua une pause.

— Il est évident que vous ne pouvez pas vous rendre à New York demain.

— Je sais.

— Je suis vraiment navré, Nick. Je vous ai entraîné dans ce bourbier et maintenant, vous ne pourrez pas fêter l'anniversaire de votre mère.

— Ce sont les risques du métier. Vous le savez, Mike – vous l'avez exercé pendant des années.

— Oui. Je sais aussi qu'au bout d'un certain temps, on s'en lasse. Six années de missions non-stop, c'est usant. Si vous n'étiez pas aussi efficace, je vous aurai forcé à prendre des vacances !

Nick décida de changer de sujet.

— Qu'est-ce qu'on fait de ce Mercks ?

— Nous avons effectué une recherche et l'avons croisée avec notre base de données. Il possède une agence privée d'investigation. Il s'adresse à une clientèle plutôt fortunée.

— Des connexions avec Martino ?

— Nous n'en avons décelé aucune. Son intervention ne nous enchante guère, mais nous ne pensons pas qu'il représente une menace.

Nick fut soulagé de l'entendre. Il ne tenait pas du tout à ce qu'un sbire de Martino campe devant le domicile de Jordan.

— Il nous reste un dernier point à aborder, dit Davis.

— Jordan…

— Vous comprenez bien qu'elle doit demeurer impliquée dans cette opération.

— Oui.

— Et elle ?

— Elle ne le sait pas encore. Je le lui expliquerai dès que j'aurai raccroché.

— Ça ne va pas lui plaire.

« Oh, non ! » Quant à Nick, il appréhendait cette conversation, mais il avait une mission à mener à bout et ce genre d'inconvénient faisait partie du lot. Il discuta encore quelques instants avec Davis, son patron voulant s'assurer qu'ils étaient sur la même longueur d'ondes. Puis Nick coupa la communication et se rendit dans la cuisine pour annoncer la mauvaise nouvelle à la jeune femme.

14

Debout face au comptoir, Jordan vérifiait ses messages électroniques sur son IPhone. Elle le faisait plus par habitude que par intérêt, puisque la seule personne dont elle voulait des nouvelles pour l'instant était Nick.

Elle posa son appareil lorsqu'il entra et laissa malgré elle son regard s'attarder sur les boutons défaits de sa chemise.

— Vas-tu enfin m'expliquer de quoi il retourne ?

— Ton ami Xander nous cause toutes sortes de problèmes.

Elle prit place sur un tabouret tandis que Nick lui exposait la situation.

— J'ai cru qu'il flirtait avec moi comme il le fait avec toutes les femmes. Je ne l'ai pas pris au sérieux. À ma décharge, depuis que je le connais, je ne l'ai jamais vu au bras d'une femme de plus de vingt-cinq ans…

— Apparemment, il est prêt à enfreindre cette règle pour toi. À nous de nous débrouiller, maintenant. Ce qui m'amène au point suivant : dans la mesure où je suis l'objet d'une filature, je ne peux pas rentrer chez moi ce soir. Il n'est pas question de dévoiler le moindre lien entre Nick Stanton et Nick McCall. Par conséquent, je suis coincé ici.

Jordan haussa un sourcil.

— Je vois...

— Juste pour cette nuit. Dès demain matin, le Bureau aura pris les dispositions nécessaires.

Elle consulta sa montre.

— Il est déjà plus de minuit. Les gars du FBI réagissent au quart de tour.

— Nous y sommes forcés, vu la situation. À moins, bien entendu, que nos personnages n'envisagent de vivre ensemble.

Devant son air effaré, il sourit.

— Je m'en doutais.

— Et ensuite ? s'enquit-elle.

— C'est là que cela devient intéressant... Maintenant que je suis surveillé, nous ne devons surtout pas laisser à Eckhart le loisir de flairer la combine. Par conséquent, tant que nous n'aurons pas rassemblé toutes les preuves par le biais des écoutes électroniques, je continuerai à maintenir ma couverture. Je vais donc continuer à incarner Nick Stanton, propriétaire d'immeubles de location. Et... ton petit ami.

Elle mit un instant à digérer cette information.

— Ce qui signifie que nous devons poursuivre cette mascarade ?

— Oui.

— Nous étions convenus que c'était l'affaire d'une soirée ! Vous modifiez les règles du jeu sans me donner le choix...

— Xander Eckhart en est l'unique responsable. Il nous met tous dans le pétrin. Crois-moi, si nous avions su qu'il cherchait à te séduire, nous ne t'aurions jamais proposé cet arrangement.

Jordan se mordit la lèvre, honteuse.

— Je ne te reproche rien, reprit-il. J'essaie simplement de t'expliquer le pourquoi du comment. Après cette soirée, personne ne comprendrait qu'on ne se revoie plus du tout. Or le b.a.-ba du métier d'infiltré consiste à ne jamais se faire remarquer.

— Bien. Supposons que j'accepte. Combien de temps devrons-nous feindre d'être ensemble ?

Soudain assoiffée, elle se leva et se dirigea vers un placard d'où elle sortit deux verres.

— Un peu d'eau ?

— Volontiers. Je ne peux pas te répondre de façon précise, mais je doute que ce soit long. Une semaine ? Un peu plus ? Le temps qu'il nous faudra pour rassembler les preuves à l'encontre d'Eckhart.

— En tant que petite amie d'un investisseur qui loue des logements à des étudiants, quels sont mes devoirs ?

— Me faire l'amour encore et encore.

Jordan s'étrangla avec sa gorgée d'eau et se mit à tousser.

Nick cligna innocemment des yeux.

— Tu n'es pas d'accord ?

Il sourit.

— La réponse, c'est que nous devons nous comporter comme un couple amoureux. Xander s'imagine que tu as payé cinq mille dollars pour m'emmener à sa réception. Il est convaincu que je suis épris de toi au point d'avoir modifié mes projets de ce week-end pour passer la soirée de la Saint-Valentin en ta compagnie. Si tout cela était vrai, comment réagirais-tu ?

— Aucune idée… Je commencerais sans doute par appeler mes copines et les retrouver demain autour d'un brunch pour leur parler de toi.

— Excellent !

— Pas question. Tu as besoin de mon aide et... ma foi, j'ai accepté, donc je vais te donner un coup de main. Mais cela doit rester entre nous. Les amis et la famille doivent rester en dehors de cette histoire.

Nick réfléchit.

— Entendu. Dans la mesure du possible, nous nous efforcerons de les maintenir à distance. Moi non plus, je n'aime pas mentir... À propos, enchaîna-t-il d'un ton plus grave, j'ai encore une chose à t'annoncer. Ça ne va pas te plaire...

— Je t'écoute.

Il se frotta le menton et poussa un soupir.

— Ça ne va pas te plaire du tout, insista-t-il.

— Tu m'inquiètes.

Il la fixa.

— Nous ne pourrons pas libérer ton frère lundi.

Ces paroles tombèrent entre eux comme des pierres.

Jordan resta silencieuse un moment. Sur ce sujet, elle refusait de plaisanter.

— Dis-moi la vérité : aviez-vous vraiment l'intention de le relâcher ou était-ce une invention pour m'amadouer ?

— Nous te l'avons promis et nous tiendrons parole. Simplement, nous devons repousser la date. Maintenant qu'Eckhart nous observe, nous devons prendre toutes nos précautions. Laisser ton frère sortir de prison du jour au lendemain avec quatorze mois d'avance pourrait inciter la mauvaise personne à poser les bonnes questions.

— Au début, le fait de réduire sa peine ne semblait vous poser aucun problème.

— Nous n'étions pas surveillés.

Jordan croisa les bras.

— J'en conviens. Toutefois, je tombe de haut. Kyle est l'unique raison pour laquelle j'ai accédé à votre demande. J'ai fait tout ce que vous m'avez demandé. J'accepte même de prolonger la mascarade avec toi. Or dès l'instant où le FBI devrait assurer sa part du contrat, comme par hasard, tout se complique...

— Je comprends ta frustration, Jordan. Crois-moi, cette situation n'est idéale pour personne.

Le flegme de Nick la décontenança. Le connaissant, c'était bien son intention. Elle était furieuse – contre lui, bien que consciente qu'il n'y était pour rien, contre le FBI en général ; contre Xander et même, contre Kyle. Mais surtout, elle était à bout de forces.

— Je vais te montrer ta chambre, murmura-t-elle. Il est tard.

Après l'avoir conduit dans la suite des invités, Jordan salua Nick d'un signe de tête et lui souhaita une bonne nuit. Il entendit le bruit de ses pas s'estomper dans le couloir, puis le cliquetis de sa porte.

De toute évidence, la nouvelle concernant son frère ne la réjouissait guère. Nick ne pouvait pas lui en vouloir. Hélas, les opérations ne se déroulaient pas toujours comme prévu. C'était aussi la raison pour laquelle ils l'avaient choisie. Tant que la libération de Kyle serait en jeu, elle n'irait nulle part, quelles que soient les circonstances. L'agent spécial en lui en était conscient et se félicitait que la mission n'ait pas complètement capoté à cause de l'initiative imprévue d'Eckhart.

L'homme en lui, en revanche, se sentait pitoyable.

Nick scruta la pièce, l'énorme lit recouvert d'un édredon de satin bleu, la pile de coussins. Par la porte ouverte à sa droite, il pénétra dans la salle de bains en marbre équipée de tous les produits de toilette imaginables. Un appartement de luxe, comparé à la cellule de trois mètres sur trois dans laquelle il avait dû dormir depuis six mois.

Il ôta son veston et donna un ultime coup de fil.

— Alors ? Jordan est avec nous ? s'enquit Davis.

— Bien sûr. Eckhart ne s'échappera pas si facilement. Toutefois, il y a un hic, ajouta Nick en s'asseyant sur le lit. Je vous appelle pour que vous me rendiez le service que vous me deviez…

Davis parut surprit et vaguement soupçonneux.

— À savoir ?

— L'agent Griegs est-il toujours des nôtres ?

— Oui. Pourquoi ?

— Il va devoir participer, lui aussi.

Davis souffla bruyamment.

— Je crains le pire.

— Vous n'avez pas tort. J'ai hésité entre ça et exiger que vous téléphoniez à ma mère pour lui expliquer que c'est votre faute si je ne peux pas assister à sa fête d'anniversaire. À vous de décider. Cependant, je préfère vous prévenir : ma mère est italienne. Italienne de New York, c'est-à-dire italienne à cinq cents pour cent.

Davis jura entre ses dents.

— Je m'occupe de Griegs.

15

En se réveillant le lendemain matin, Nick mit quelques secondes à se rappeler où il était – l'un des inconvénients du métier. Quand l'édredon en satin lui caressa la poitrine, les souvenirs l'assaillirent.

Jordan !

Se lèverait-elle de mauvaise humeur ? S'il avait été du genre à être à l'écoute de ses émotions, il aurait sans doute noté qu'il avait beaucoup plus de mal à accepter le mépris de Jordan à son égard que lorsqu'il l'avait rencontrée, six jours auparavant. S'il avait été du genre à se torturer l'esprit, il se serait peut-être aussi demandé quelle mouche l'avait piqué de demander ce service à son patron.

Dieu soit loué, il n'était pas comme ça.

Dans le cas contraire, il aurait été obligé de se ressaisir, car l'heure n'était pas aux questions. Il devait absolument se concentrer sur sa mission.

Il s'assit et tendit l'oreille. Jordan était-elle debout ? Jetant un coup d'œil sur le réveil, il constata qu'il était 7 heures. Elle devait encore dormir, car tous deux s'étaient couchés tard.

Il repoussa la couette et se faufila jusqu'à la salle de bains. Après avoir pris une douche rapide, il enfila sa chemise et son pantalon de la veille. Le

« Palace Rhodes » avait beau être luxueux, on n'y proposait pas de vêtements de rechange.

Après s'être regardé dans la glace, Nick décida de sauter l'étape du rasage. Pour quiconque était stationné dans la berline noire devant la maison, Nick Stanton venait de passer une nuit à folâtrer avec une femme intelligente et sexy – il avait d'autres chats à fouetter que de se pomponner.

Nick Stanton était un sacré veinard.

Nick McCall, en revanche, avait du pain sur la planche, à commencer par plusieurs coups de téléphone à passer, dont un qu'il redoutait particulièrement.

Il descendit à la cuisine où il découvrit une machine à espresso qui semblait n'avoir jamais servi. Une brève exploration des lieux n'ayant révélé aucun autre appareil capable de produire du café, il se mit à ronchonner sur les riches et leurs gadgets inutiles avant de s'installer face au comptoir et d'appeler le bureau.

— On vous a trouvé un appartement à Bucktown, lui annonça Davis. 1841 avenue Waveland nord, unité 3A. Deux chambres, un bureau, équipement haut de gamme. Assez confortable pour ne pas éveiller de soupçons.

— Le petit ami de Jordan Rhodes se doit de mener un certain train de vie, grommela Nick.

— Je pensais moins à elle qu'à vous, car je vous rappelle que vous investissez dans l'immobilier. Vous n'êtes pas dans votre assiette, ce matin ?

Nick soupira.

— Je n'ai pas encore bu mon café, patron.

— Parfait. Parce que vous et votre dulcinée allez faire un saut chez Starbucks – au coin des rues Barry et Greenview – pour récupérer les clés de votre nouveau logement. Pallas vous y retrouvera à

10 heures. Nous avons aussi les clés de votre voiture – une Lexus vous attend sur votre emplacement devant votre nouvel immeuble.

— Quel progrès !

— « Dis-moi qui tu hantes, je te dirai qui tu es. »

Après avoir raccroché, Nick consulta sa montre. Il était 9 heures du matin à New York, il lui restait donc peu de temps pour joindre sa mère avant qu'elle ne parte pour la messe. Il rassembla tout son courage et composa le numéro. Il avait déjà une femme furieuse contre lui. Une de plus, une de moins… quelle importance ?

Sa mère décrocha dès la deuxième sonnerie.

— Bon anniversaire, maman.

— Nick ! Quelle surprise ! s'exclama-t-elle d'un ton théâtral avant de chuchoter : une seconde, je change de pièce…

Après quelques instants de silence, elle reprit la parole.

— Ouf ! La voie est libre. Ton père est toujours persuadé que je ne me doute de rien. Tu es à l'aéroport ? Tu devrais demander à Matt ou à Anthony de venir te chercher. Ils n'auront qu'à t'amener directement ici. Qui sait quand tu as mangé un repas digne de ce nom pour la dernière fois ? Ma sauce est déjà sur le feu.

Nick ferma les yeux. Elle lui préparait son mets préféré : des *penne all'arrabiata*.

Inutile de noyer le poisson.

— Maman, je ne sais pas comment te le dire mais… je ne viendrai pas aujourd'hui. J'étais sur une mission d'infiltration et il s'est produit un événement inopiné qui m'empêche de me rendre à New York. Mais dès que cette opération sera terminée, je viendrai passer une semaine entière avec toi. Je te le promets.

Il se tut, devinant ses pensées : *Tu ne tiens jamais tes promesses...*

C'était la vérité.

— Je comprends, soupira-t-elle enfin. Je sais combien tu travailles dur, Nick. Ton métier passe avant tout. Fais ce que tu as à faire.

Il tenta de se justifier sans lui dévoiler de détails.

— Ce n'était pas prévu. J'aurais dû clôturer le dossier hier soir. Tu sais bien que si je le pouvais, je m'arrangerais pour venir.

— Ne t'inquiète pas, répliqua-t-elle d'un ton sec. Les autres seront déçus, mais je leur expliquerai la situation. Pour être franche, je doute que ton absence les surprenne.

Elle prétexta le besoin de se préparer pour partir à l'église, lui demanda de la rappeler bientôt et raccrocha.

Nick posa son portable devant lui et poussa un soupir. Il était anéanti. Si au moins elle s'était mise en colère !

Entendant Jordan s'éclaircir la gorge sur le seuil de la pièce, il se tourna vers elle et elle baissa les yeux, soudain mal à l'aise.

— Excuse-moi, j'ai entendu ta conversation en descendant l'escalier, dit-elle en se perchant sur le tabouret voisin du sien. C'est l'anniversaire de ta maman, ce week-end ?

— Ses soixante ans. Ma famille avait organisé une grande fête en son honneur.

— Elle est née un an après la mienne. Ma mère aurait eu soixante et un ans en juin... Elle est morte dans un accident de la route il y a neuf ans, ajouta-t-elle après une légère hésitation. Tu étais peut-être déjà au courant ?

En effet, il l'avait lu dans le rapport que lui avait fourni Huxley. À l'époque, Jordan était à l'université.

— Oui.

— J'aurais donné n'importe quoi pour célébrer cet événement avec elle. Je suis désolée que tu ne puisses pas rentrer chez toi… Que veux-tu que je te dise ? Xander est un gros naze.

Nick cligna des yeux puis explosa de rire. Son cœur se serra lorsqu'il se rendit compte que c'était précisément ce qu'elle avait cherché.

— J'ignorais que les riches héritières employaient ce genre d'expression.

— Tu n'en connais pas beaucoup, n'est-ce pas ?

— Non.

Mais celle qu'il connaissait était drôlement jolie, en jean et tee-shirt marine qui rehaussait le bleu improbable de ses yeux.

Gêné, Nick regarda ailleurs.

— Un café serait le bienvenu, déclara-t-il en indiquant la machine à espresso. Ça ne t'ennuie pas de faire l'impasse sur le fait maison pour prendre un petit déjeuner chez Starbucks ? Un collègue doit m'y remettre des clés à 10 heures. J'ai pensé que tu pourrais t'en charger.

Jordan écarquilla les yeux.

— Hum… voilà qui me paraît très excitant ! Comment saurais-je à qui m'adresser ? Il y a un mot de passe ?

— N'aie aucune crainte. Il viendra à toi.

À cet instant, on sonna à la porte. Jordan et Nick échangèrent un regard.

— Tu attends quelqu'un ce matin ? demanda-t-il.

— Non. Et toi ?

Ni l'un ni l'autre ne bougea. De nouveau, le carillon retentit.

— Apparemment, il ou elle n'a pas l'intention de s'en aller.

Nick se leva et extirpa son arme de l'étui attaché à son mollet pour le glisser dans la ceinture de son pantalon.

— Ne me quitte pas d'une semelle.

Jordan désigna l'arme tout en lui emboîtant le pas jusqu'au vestibule.

— Du calme, cow-boy. Je ne tiens pas à ce que tu transperces un pauvre type venu solliciter un don pour Greenpeace.

— Du porte-à-porte par moins 9 degrés ? Ça m'étonnerait.

Le timbre résonna une troisième fois. Nick montra le battant de bois précieux.

— Tu possèdes une bibliothèque, une cave à vin, une machine à espresso dernier cri mais tu n'as pas d'œilleton. Ta sécurité personnelle n'est donc pas une priorité ?

— J'ai un dispositif qui me convient parfaitement, riposta-t-elle. Ça s'appelle un système d'alarme.

Elle s'approcha du panneau mural et le désactiva avant de tirer le verrou. Nick, qui s'était déplacé sur le côté, lui indiqua qu'elle pouvait ouvrir.

Jordan s'exécuta et... fut prise de panique.

Melinda se tenait sur le paillasson, frissonnante.

— Seigneur ! Il t'en a fallu du temps. Laisse-moi entrer, on gèle dehors !

Avant que Jordan ne puisse réagir, Melinda bondit à l'intérieur. Tandis que son amie enlevait son écharpe, Jordan jeta un coup d'œil vers Nick. Il haussa les épaules, déconcerté.

Elle s'appuya contre la porte ouverte de manière à le dissimuler à la vue de Melinda. Avec un peu de chance, la visite serait de courte durée.

— Voici ma question ! reprit Melinda. Qui est grand, brun et ténébreux ?

Jordan agita sa main libre.

— Euh… Gerard Butler dans *300* ? Ou ce type nu dans la première saison de *Sex and the City* ?

Melinda pointa un doigt sur elle.

— Pas mal, mais ce n'est pas la réponse que j'attends.

Elle sortit un journal de son sac-cabas et le déplia :

— Trouvé dans la chronique d'Anne Welch, *Vu et entendu*… « Samedi soir, la soirée annuelle organisée par le millionnaire Xander Eckhart dans son restaurant *Le Bordeaux* a permis de récolter plus de cent mille dollars pour l'hôpital des Enfants malades. Une fois de plus, tout le Gotha mondain de Chicago était présent… Superbement vêtue d'une robe dos nu de couleur améthyste, la spécialiste du vin Jordan Rhodes, fille du milliardaire Grey Rhodes et sœur de l'illustre Kyle Rhodes qui a fait la une des journaux du monde entier il y a cinq… »

Melinda s'interrompit et se racla la gorge.

— … Bon, je crois qu'on peut sauter tout le passage sur Twitter et la prison. Ah ! Nous y voilà : « Mlle Rhodes est arrivée en compagnie d'un bel inconnu – grand, brun et ténébreux, selon nos sources. Toujours selon celles-ci, le couple semblait très proche. Espérons, pour notre bien à tous, que mademoiselle Rhodes aura plus de chance en amour que son jumeau. »

Melinda replia le journal et fixa Jordan.

— Je répète : qui est ce grand, brun ténébreux ?

Jordan jura intérieurement – un torrent de gros mots qui n'auraient pas dû faire partie du vocabulaire d'une riche héritière. Elle savait que Melinda ne lâcherait pas le morceau.

Ils étaient cuits. Elle ferma la porte, révélant Nick, qui sourit en tendant la main à Melinda.

— Nick Stanton.

— Enchantée..., murmura Melinda en l'examinant de la tête aux pieds. Melinda Jackson.

Mesurant tout juste un mètre cinquante, elle dut renverser la tête pour étudier son visage. Elle s'attarda sur sa barbe naissante, puis elle pivota vers Jordan avec un large sourire.

— Je comprends mieux pourquoi tu as mis tout ce temps avant de m'ouvrir.

— Oui, eh bien. Nous..., bafouilla Jordan.

— Nous essayions de mettre en marche la machine à espresso, intervint Nick.

Melinda haussa un sourcil.

— Ah oui ?

— Bon, tu es venue uniquement pour me harceler ? marmonna Jordan.

— En fait, après avoir lu le journal, j'ai eu envie de t'emmener prendre un brunch. Je n'imaginais pas que ta soirée se prolongerait si tard... Parlez-moi de vous, Nick. Je suis impatiente de tout savoir à votre sujet !

Nick ouvrit la bouche mais Jordan le coupa net.

— Malheureusement, Mel, ce sera pour un autre jour. Nick et moi nous apprêtions à partir. Je peux te téléphoner plus tard ?

Une lueur suspicieuse dansa dans les prunelles de son amie.

— Tu es bizarre, aujourd'hui. Que se passe-t-il ?

Nick vint à la rescousse.

— C'est ma faute. J'ai persuadé Jordan de venir avec moi boire un café avec un copain. Une façon de prolonger notre soirée.

Il posa un bras autour de la taille de Jordan et la serra contre lui.

— Comme vous êtes mignons ! roucoula Melinda. Entendu, ce sera pour une autre fois. Tiens, je sais ! Jordan devrait vous amener au dîner chez Corinne samedi prochain. Comme ça, vous rencontrerez tout le monde en même temps.

Jordan secoua vigoureusement la tête. « Pas question ! »

— C'est dommage, mais Nick a déjà des projets pour samedi prochain.

Elle se retourna vers lui et se lova contre sa poitrine. D'un regard, elle le supplia de jouer le jeu.

— Tu te rappelles, ce rendez-vous dont tu m'as parlé tout à l'heure ? Samedi prochain.

— La réunion avec le promoteur immobilier, rebondit-il aussitôt. Celui qui me construit ce nouveau complexe d'appartements dans la vieille ville.

Elle l'aurait volontiers embrassé tant elle était soulagée. Décidément, ces agents du FBI étaient habiles. Haussant les épaules, Jordan se tourna vers Melinda.

— Quelle poisse ! Il devrait savoir que je meurs d'envie de présenter ce grand brun ténébreux à tout mon entourage !

Au coup d'œil de Nick, elle comprit qu'il fallait se taire. Machinalement, elle claqua dans ses mains.

— Bon ! Sans vouloir t'offenser, ma chérie... Nick et moi sommes assez pressés...

Une fois son amie sortie, Jordan se tourna vers Nick.

— Je déteste mentir de cette façon. Merci de m'avoir sauvé la mise quand elle a évoqué ce dîner. C'est à croire que je ne suis pas douée pour jouer les espionnes !

— Tiens le coup encore une vingtaine de minutes et tu seras libre pour le reste de la journée… Direction, Starbucks. C'est moi qui invite !

— Tu es certain que je n'aurai pas besoin d'un mot de passe ? On devrait peut-être en prévoir un, au cas où.

— Tu n'as rien à craindre. Fais-moi confiance.

Ils parcoururent le chemin à pied, Nick scrutant les alentours pour vérifier qu'ils n'étaient pas suivis. « Quelle aventure ! » songea Jordan. Si seulement elle avait pu revenir en arrière, du temps où elle n'était que la sœur du hacker le plus célèbre du monde et fille de milliardaire !

Lorsqu'ils atteignirent le café, Nick lui tint la porte. Elle se précipita à l'intérieur, savourant la chaleur et les arômes qui l'assaillirent. Leur contact était-il déjà là ? Un frémissement la parcourut, mélange de nervosité et d'excitation.

Nick ne lui avait donné aucune consigne particulière, aussi suivit-elle le protocole habituel en allant commander sa boisson au comptoir.

— Un lait soja vanille sans sucre, s'il vous plaît.

— Un double espresso pour moi !

Jordan s'écarta légèrement quand quelqu'un la heurta par-derrière. Une main ferme se posa sur son épaule.

— Excusez-moi, prononça une voix masculine.

— Je vous en prie…

L'inconnu aux cheveux noirs la gratifia d'un sourire courtois et quitta la boutique. Jordan s'empara de son portable dans sa poche. Elle ne fut pas surprise de constater que Melinda lui avait envoyé un message.

Appelle-moi tout à l'heure. Je veux tout savoir sur Nick. Entre nous, il est super sexy !

Jordan sourit en rangeant son appareil et prit son café.

— Prête ? lui demanda Nick.

Elle inclina la tête, perplexe.

— On n'avait pas un truc à faire ?

— C'est réglé.

Nick la prit par la main et l'entraîna tranquillement dehors. Au regard des autres, ils n'étaient qu'un couple comme un autre.

Comme ils s'arrêtaient au carrefour, elle le dévisagea. Enfin, elle comprit.

— Le type qui m'a heurtée…

— Oui. Les clés sont dans la poche gauche de ton manteau.

— Nom de nom, quelle classe !

— Je te l'ai dit, Rhodes, rétorqua-t-il avec un sourire. Nous sommes des pros.

Nick déposa Jordan chez elle et promit de la contacter plus tard. N'ayant repéré ni la berline noire de la veille ni un passant suspect, il décida qu'ils pouvaient s'abstenir du baiser d'adieu passionné. En redescendant les marches du perron, pourtant, il se surprit à regretter qu'ils n'aient pas été suivis.

Cent mètres plus loin, il aperçut son véhicule, là où il l'avait garé la veille au soir. Il marcha jusqu'au carrefour suivant pour héler un taxi. Il demanderait à ce qu'on vienne rechercher son 4 × 4 pour le rapatrier à son domicile. Le vrai…

Il n'eut aucun mal à trouver un taxi et donna au chauffeur l'adresse qui serait la sienne pendant une ou deux semaines. Il vérifia son répondeur et écouta deux messages de Huxley, qui se répandait en excuses pour l'avoir forcé à accepter cette mission, gâchant son week-end en famille. Nick apprécia le geste, mais il était inutile. Personne ne l'avait obligé à quoi que ce soit et n'importe lequel de ses collègues aurait pris la même décision que lui. C'était leur métier. S'il avait voulu être dorloté, il aurait postulé à la CIA.

Son portable sonna alors qu'il le remettait dans sa poche. Voyant que c'était son frère Matt, il décrocha.

— J'étais sûr que tu allais m'appeler.

— On t'a déjà dit que tu étais un salaud ? J'espère que tu es en train de sauver le monde d'un attentat à l'arme biologique ou de déjouer un complot pour assassiner le président !

— Désolé. C'est prévu pour la semaine prochaine.

— Sérieusement, Nick, tu aurais pu te débrouiller autrement. Cette fête est prévue depuis des mois !

Submergé par la honte, Nick jeta un coup d'œil derrière lui pour voir s'il était suivi.

— Je sais. Mais un événement imprévisible m'en empêche. Je trouverai le moyen de me rattraper auprès de maman. Elle l'a vraiment mal pris ?

— Elle a dit qu'elle ne t'enverrait plus jamais des bocaux de sa sauce *arrabiata* par FedEx.

Nick émit un sifflement.

— Très mauvais signe...

— À moins de lui annoncer que tu as une petite amie ou que tu vas te marier, je crains que tu ne figures un bon moment sur sa liste noire, répondit Matt en ricanant.

Enfant du milieu et conciliateur du clan, ce dernier ne restait jamais longtemps fâché.

— Elle commence à nous énerver à force de nous réclamer des petits-enfants. Si j'ai le malheur de lui signaler que je vais boire un verre avec une jeune femme, elle se rue sur son téléphone pour demander au curé ses dates de disponibilité pour un mariage.

— Malheureusement, sur ce plan, j'en suis encore au point mort, marmonna Nick. Elle risque de bouder un certain temps…

Contre toute attente, il se demanda ce que sa mère penserait de Jordan. Difficile de savoir si elle serait davantage effrayée par son statut de fille de milliardaire ou celui de jumelle d'un délinquant. Mais le problème n'était pas là.

— J'irai à New York dès que j'en aurai terminé avec cette affaire. Si maman refuse de m'ouvrir la porte, est-ce que je peux squatter chez toi ?

— Bien sûr. Et ne t'inquiète pas pour elle. Je lui parlerai de la ravissante nouvelle adjointe du procureur que j'ai croisée au commissariat. Ça devrait la distraire.

— Merci. Simple curiosité : elle existe, cette superbe créature ?

— Si tu la voyais ! Une merveille. Tu connais mon faible pour les femmes en tailleur et talons aiguilles. Tiens ! Anthony veut te dire deux mots. Je te le passe…

— Salut, frérot ! On t'a déjà dit que tu étais un salaud ?

16

Après les événements du week-end, Jordan eut du mal à reprendre la routine. Elle passa toute la journée du lundi les nerfs à vif, en attente d'un nouvel imprévu, d'un nouveau problème : Xander avait découvert les mouchards dans son bureau ; Mercks avait réussi à identifier Nick ; le FBI, pour des raisons obscures, avait décidé de tout annuler…

Il n'arriva rien de tel.

Le mardi soir, Nick lui apprit que Xander et Trilani s'étaient rencontrés dans la matinée, ce qui signifiait, primo, qu'Eckhart ne soupçonnait rien – encore – et secundo, que les agents du FBI commençaient à collecter les preuves qui leur permettraient de procéder aux arrestations.

— Si ça continue comme ça, je ne t'embêterai pas longtemps, la taquina-t-il. Tu n'as rien remarqué de bizarre aujourd'hui ?

— Tu me poses sans arrêt cette question. Crois-moi, tu seras le premier averti. Je n'ai pas l'ambition de jouer les héroïnes.

— Je veille sur toi, rien de plus.

Le lendemain, Jordan brava les embouteillages pour se rendre au centre pénitentiaire. « Moi qui croyais y aller pour la dernière fois la semaine dernière », ragea-t-elle en montant dans l'ascenseur.

Elle s'installa avec son frère à leur table habituelle, juste devant la fenêtre crasseuse munie de barreaux. Dès qu'il fut assis, il commença :

— C'est qui, le grand brun ténébreux ?

Jordan en resta bouche bée.

— Tais-toi. Ne me dis pas que tu as lu la rubrique *Vu et entendu* ?

— Que veux-tu que je fasse d'autre, ici ?

— Tu pourrais te repentir. Réfléchir à tes méfaits. te racheter…

— Tu éludes ma question.

En effet. Parce que son frère était le numéro deux de la liste des personnes auxquelles elle n'avait vraiment aucune envie de mentir, juste après son père.

— Rien de spécial. Un type qui m'a accompagnée à la réception de Xander.

Oui, il était grand, brun et ténébreux. Et *parfois*, il réussissait à lui arracher un sourire – quand il ne l'agaçait pas.

— À cinq mille dollars la soirée, je doute que ce soit un simple « type ».

— Sérieusement, est-ce que tout le monde ici lit *Vu et entendu* ?

Tout à coup, leur ami Puchalski, le détenu au serpent tatoué sur l'avant-bras, surgit devant eux.

— Alors ? Qui est le grand brun ténébreux ?

Puchalski se tourna vers Jordan.

— J'ai arraché le journal à Sawyer pendant qu'il lisait le cahier financier. Il faut que je me tienne au courant de l'actualité ! Je n'ai pas l'intention de moisir indéfiniment entre ces murs.

— Ça te pend au nez si tu continues à enfreindre les règles, Puchalski, prévint le gardien en passant.

Puchalski s'éloigna et Kyle reprit la conversation.

— Ainsi, le secret est dévoilé…

Jordan fusilla son frère des yeux.

— Bon, d'accord, j'ai passé une soirée avec un homme. Quel événement ! Attends une seconde… Papa a lu la chronique, lui aussi ?

— J'en serais étonné. En tout cas, il n'en a pas parlé lorsqu'il m'a rendu visite lundi.

Kyle se balança sur sa chaise et se frotta le menton d'un air songeur.

— Cette situation est des plus intéressantes, Jordan… Pourquoi voulais-tu me cacher cette relation ? En sortant d'ici, je vais devoir décrocher un boulot et il paraît que ton affaire a un succès fou…

— Tu délires ? C'est toi qui m'es redevable.

Kyle se redressa, indigné.

— De quoi ?

Jordan croisa ses bras sur la table.

— Tu étais en deuxième année de fac. Tu as pris la voiture de maman au beau milieu de la nuit – tu n'avais pas ton permis – et tu t'es rendu chez Amanda Carroll. Papa a cru entendre un bruit quand tu es revenu et je l'ai distrait en lui racontant que j'avais aperçu un rôdeur dans le jardin. Pendant qu'il se penchait par la fenêtre de ma chambre, tu t'es faufilé devant ma porte et tu as murmuré : « Je te revaudrai ça ! » L'heure est venue pour moi de récupérer mon dû, cher frère…

— C'était il y a dix-sept ans ! s'insurgea Kyle. Je suis pratiquement sûr qu'il y a prescription.

— À l'époque, il n'a jamais été question de date limite !

— J'étais mineur. Le contrat n'est pas valide.

— Si c'est ta façon de te tirer de ce mauvais pas, je suppose que tu as raison, concéda-t-elle.

Elle patienta, sachant qu'il était pris au piège. En dépit de sa combinaison orange, son frère avait un sens inné de l'honnêteté et tenait toujours parole.

— D'accord, grommela-t-il. C'est la première fois en trente-trois ans que je tombe sur des ragots te concernant, tout ça pour rien... Heureusement pour toi, enchaîna-t-il avec un sourire espiègle, l'expédition chez Amanda Carroll valait le coup, sans quoi je serais très énervé.

Jordan grimaça.

— Je ne suis pas parfaite. En revanche, moi, je ne me fais pas prendre... J'aurais peut-être dû te prodiguer quelques conseils.

— Touché ! Mais encore ?

Kyle la dévisagea avec attention.

— Tu allais dire autre chose, insista-t-il.

Franchement, elle faisait une bien piètre menteuse !

Le répit de Jordan prit fin le jeudi.

La boutique organisait une « soirée enlèvement » pour les membres du club de dégustation et les clients étaient venus en nombre. Robert et Andrea, les deux vendeurs, tenaient la caisse tandis que Martin et Jordan s'affairaient derrière le bar et en salle, servant les nouveautés et vantant leurs qualités. Lorsqu'ils purent enfin baisser le rideau, à 21 h 30, Jordan était épuisée mais satisfaite. Leur chiffre d'affaires avait frôlé le record – rien d'étonnant à cela dans la mesure où les gens achetaient plus volontiers du vin après en avoir bu plusieurs verres.

Ils étaient en train de tout remettre en place – Martin nettoyait le sol, Jordan triait les récépissés,

Robert lavait les verres et Andrea les séchait – quand le portable de Jordan sonna. Elle se précipita dans l'arrière-boutique pour décrocher.

— J'essaie de te joindre depuis des heures ! s'exclama Nick.

— J'avais soixante personnes qui sont reparties il y a quelques minutes à peine. Je n'ai pas entendu la sonnerie et de toute manière, je n'aurais pas pu répondre.

— Je suis dans ma voiture et j'arrive. Tu vas avoir droit à un sermon quant à ton manque de vigilance.

— Non ! Attends une seconde.

Jordan ferma la porte pour plus de discrétion.

— Écoute, Nick, je suis éreintée. Nous venons de terminer une « soirée enlèvement », j'ai trois employés avec moi et je n'en peux plus. Je ne me sens pas la force de jouer mon rôle devant eux. De plus, j'ai l'impression que tu es en colère et j'ai beau adorer subir des remontrances après une dure journée de labeur, je préférerais remettre cela à plus tard...

Nick se tut un instant. Quand il reprit enfin la parole, ce fut d'une voix empreinte de méfiance.

— Une soirée « enlèvement » ?

— C'est une soirée au cours de laquelle les clients viennent chercher leurs commandes et en profitent pour déguster de nouveaux vins.

— Ah...

— Qu'y a-t-il de si urgent ? demanda Jordan en s'asseyant à son bureau. Car je suppose qu'on a un problème ?

— Quelqu'un m'a filé toute la journée.

— Tu crois que nous sommes repérés ?

— En fait non, je pense que c'est plutôt bon signe. Le détective d'Eckhart doit friser le désespoir car il n'a rien trouvé sur moi. Mais puisqu'il nous observe, nous devons jouer le jeu.

— Ce qui signifie... ?

— Que nous allons de nouveau sortir ensemble. Le week-end commence demain. Nick Stanton est impatient de te revoir.

— Nick Stanton ne me plaît qu'à moitié. Ne bouge pas, je consulte mon agenda... Que dirais-tu d'un déjeuner dimanche ? En général, je m'accorde une petite pause après l'arrivée de Martin.

Nick parut contrarié.

— Un dimanche midi ? Certainement pas ! Je veux un vendredi ou un samedi soir. Point.

— Navrée, mais ce vendredi je vois mon père. Et comme tu le sais déjà, je dois rencontrer des amis samedi. Si cela peut te consoler, je veux bien t'accorder ma soirée de dimanche après la fermeture de la boutique.

— Jordan, j'ai un type à mes trousses depuis plus de huit heures. Il va se demander pourquoi Nick Stanton, qui a une petite amie et mène une vie apparemment normale, reste terré chez lui tout seul le week-end. Le FBI ne m'a pas fourni comme par magie une bande de copains pour cette mission. Hormis mon domicile et mon bureau factices, je n'ai nulle part où aller sans risquer d'être reconnu. Tu es la seule personne qui rende cette histoire plausible. Par conséquent, je vous rejoins, soit toi et ton père vendredi, soit toi et tes amis samedi.

Jordan se mordit la langue. Il avait raison. Tout de même, pour un fiancé d'opérette, il était pour le moins envahissant.

— Entendu. Passe me chercher samedi soir. Je dirai à mes amis que ta réunion de travail a été annulée à la dernière minute.

— Tu vois, ce n'est pas si compliqué !

Si, car désormais elle devrait mentir à trois autres de ses proches. Mais elle s'en inquiéterait plus tard.

— Sois chez moi à 19 heures.

Tandis que Nick – toujours suivi – regagnait son appartement, son portable sonna. C'était Huxley. « Enfin ! » pensa-t-il. Il avait attendu ce coup de fil toute la journée.

— Je commençais à croire que vous aviez perdu mon numéro.

— Désolé pour le retard. Vu les circonstances, Griegs n'est pas facile à joindre.

— Comment juge-t-il la situation ?

— D'après lui, Kyle Rhodes n'est guère apprécié de certains de ses codétenus au centre pénitentiaire. Il a déjà été mêlé à plusieurs altercations. Il ne semble pas en être l'instigateur, mais les gardiens lui ont tout de même infligé plusieurs sanctions disciplinaires. Sans doute dans l'espoir que cela calmera ceux qui le soupçonnent de bénéficier de traitements de faveur sous prétexte qu'il est riche.

Pour la première fois, Nick eut un élan de compassion envers Kyle Rhodes. Purger une peine de prison pour un crime commis en toute lucidité était une chose, être puni uniquement pour s'être défendu en était une autre.

— Griegs accepte de veiller sur lui ?

— Il a promis d'essayer. Il prétend qu'il ne peut pas faire grand-chose. Il semble que Rhodes ne lui facilite pas la tâche – dès qu'il se sent menacé, il se rebelle. Grieg craint que Rhodes ne finisse par blesser quelqu'un au cours d'une bagarre. Quoi qu'il en soit, c'est embêtant.

— En effet, murmura Nick, qui ne s'était pas attendu à un tel rapport. Kyle Rhodes m'a tout l'air d'une bombe à retardement.

— S'il explose, Jordan Rhodes nous laissera tomber. Vous avez une idée de la manière dont on pourrait maintenir son frère sous contrôle ?

— Je suis une mine d'idées, Huxley. On en rediscute bientôt.

17

— Parle-moi de tes amis…

Jordan observa Nick à la dérobée. Il avait insisté pour la conduire alors qu'elle aurait préféré prendre un taxi. Étant donné les circonstances, à savoir qu'il considérait cette soirée comme partie intégrante de sa mission, il avait décrété qu'il ne boirait pas. Dommage, car elle avait apporté de grands vins dans l'espoir de parfaire son éducation œnologique. L'occasion ne se représenterait peut-être plus. L'enquête avançait bien, ce qui signifiait que la mascarade prendrait bientôt fin.

— Tu as rencontré Melinda chez moi, tu te souviens ? Elle sera là avec son ami Pete.

— Que fait-il dans la vie ?

— Il compose des opéras. C'est comme ça qu'ils se sont connus – tous deux sont des passionnés de théâtre musical.

Nick la regarda d'un œil sceptique.

— Ils ne vont pas se mettre à chanter après le repas, j'espère ?

— Tout dépend combien de bouteilles de vin nous aurons vidées.

— Et l'autre couple ?

— Corinne est professeur dans un lycée et son mari, Charles, est avocat.
— Ça me convient déjà mieux.
— Tâche de t'entendre avec tout le monde, je t'en prie, mon chou ! N'oublie pas qu'à ce stade de notre relation, tu essaies de m'impressionner en voulant mieux connaître mes amis.
— Je n'ai jamais été doué pour cela. À vrai dire, je n'ai jamais atteint cette phase, avoua Nick.
— Je suis certaine que tu t'en tireras à merveille. Agis comme à ton habitude.
Charles et Corinne vivaient avec leur fils dans un bungalow d'Andersonville, un quartier charmant et pittoresque à quelques kilomètres au nord de Chicago. Tandis qu'ils gravissaient les marches du perron, Jordan vit Nick tourner la tête sur la droite. Elle entendit une voiture arriver au moment même où Nick la prenait par la taille.
— Nous sommes toujours observés ?
— Oui.
Elle appuya sur la sonnette et inspira une grande bouffée d'air, prête à jouer un nouvel acte de cette étrange comédie.

La porte s'ouvrit et Nick afficha un sourire dévastateur. Une femme aux cheveux raides et noirs de jais les accueillit avec bonne humeur.
— Bonsoir ! Corinne... Je suis si heureuse de vous rencontrer, Nick. Nous avons beaucoup enten... en fait, non, nous ne savons absolument rien de vous. Jordan ne nous a rien dit. Melinda crie sur tous les toits que vous êtes sans doute un espion ou un agent secret.
Jordan trébucha sur une botte d'enfant. Elle serait tombée si Nick ne l'avait pas rattrapée de

justesse par le bras. Il la fusilla du regard : « Pas de panique ! »

Corinne se confondit en excuses et repoussa la botte du bout du pied alors que Melinda et un homme de taille moyenne aux cheveux châtains émergeaient de la cuisine.

— Ne le prenez pas mal, ricana ce dernier à l'intention de Nick. Ces temps-ci, Mel prend tout le monde pour un espion ou un agent secret. Elle est accro à la série *24 heures Chrono*... Pete Garofalo, conclut-il en lui serrant la main.

Melinda gratifia son fiancé d'une bourrade dans les côtes.

— Je n'ai pas dit ça, j'ai dit qu'il me rappelait James Bond !

Un deuxième homme, affublé d'un tablier à carreaux rouges et blancs, surgit de la cuisine pour ajouter son grain de sel.

— Il paraît que Melinda vous a dérangés dimanche matin, que vous avez mis un temps fou à lui ouvrir... Je me présente : Charles.

— Charles Kim, où sont tes manières ? s'insurgea Corinne. Laisse au moins à notre invité le temps d'enlever son manteau avant de le taquiner.

Melinda avait de la suite dans les idées.

— En ce qui concerne *24 heures Chrono*, je te signale que tu ne m'arraches jamais la télécommande des mains quand l'horloge entame son décompte, Pete. Sinon pour vérifier les scores du lundi soir.

Nick dressa l'oreille. *Le sport !* Voilà un sujet qu'il maîtrisait.

— Dommage que la saison de football soit terminée, se lamenta-t-il. Heureusement qu'il reste le basket. Quelles équipes atteindront la finale du championnat, selon vous ?

Un peu gêné, Pete désigna Melinda.

— Elle... euh... fait allusion aux scores de *Danse avec les stars*.

— Il a un faible pour le paso doble, intervint Melinda.

— Symbole du drame, des prouesses techniques et de la passion de la corrida, précisa Pete. Une danse relativement masculine.

— Sauf pour les paillettes et l'auto-bronzage ! lança Melinda.

Ignorant ce commentaire, Pete tapa dans ses mains.

— Et vous, Nick ? Êtes-vous un amateur d'émissions de télé-réalité ?

Nick jeta un coup d'œil vers Jordan. Son personnage était-il épris au point qu'il allait devoir feindre un intérêt pour de telles conversations ?

Elle se hissa sur la pointe des pieds pour lui chuchoter à l'oreille :

— Ne t'inquiète pas. C'est comme un vin qui a besoin de respirer. Ils se calment au bout d'une heure.

Le repas fut agréable, les amis de Jordan se révélant sympathiques et accueillants. Nick se félicita : à leurs yeux, lui et Jordan avaient tout d'un couple normal en visite chez des copains un samedi soir.

Intrigué, il se surprit au cours du dîner à l'observer à la dérobée. Il avait du mal à cerner ce qui était « normal » pour elle. Une semaine auparavant, vêtue d'une robe époustouflante, elle avait paru parfaitement à l'aise à la réception mondaine d'Eckhart, bavardant avec la haute société de Chicago et dégustant des vins qui coûtaient davantage que le salaire hebdomadaire de certains employés de bureau. Mais elle semblait tout aussi détendue en jean et pull-over, à savourer une pizza maison parmi ses copains dans une maison jonchée de jouets.

Elle n'avait de cesse de le surprendre. Il se sentait capable de résoudre rapidement le cas Xander Eckhart. Le blanchiment d'argent, les missions d'infiltration, les appartements, voitures et autres bureaux factices, les détectives privés qui guettaient les moindres mouvements du suspect le laissaient imperturbable. Jordan, en revanche, avait le don de le déstabiliser et Nick était conscient du danger que cela pouvait représenter.

À titre d'exemple, ce baiser que lui comme elle faisaient mine d'avoir oublié…

Si cette opération était de plus courte durée et objectivement beaucoup plus plaisante que toutes les précédentes, il était pressé d'en finir. Vite. Avant que la situation ne… dérape.

Nick concentra son attention sur Charles, l'avocat, assis à sa droite. Tous deux discutèrent du métier de ce dernier, Nick – qui connaissait le système judiciaire bien mieux que l'investisseur immobilier lambda – prenant soin de ne pas se trahir.

— Il vous arrive de traiter des affaires fortement médiatisées ? demanda-t-il.

Il n'avait pas reconnu le nom de la firme que Charles avait mentionnée plus tôt, mais il existait une multitude de cabinets juridiques à Chicago.

— Oui, mais rien d'aussi énorme que le procès Roberto Martino, bien entendu. Remarquez, pour rien au monde je n'accepterais de le représenter. À un moment, enchaîna-t-il en baissant le ton, nous avons envisagé de nous occuper du frère de Jordan, mais il a préféré s'adresser à un confrère. C'est regrettable, vu la manière dont les choses ont tourné. Franchement ! Kyle a écopé de dix-huit mois de prison alors qu'il n'a blessé personne ; pourtant il a fallu des années au FBI et au bureau du procureur fédéral pour parvenir à inculper l'un des barons de la drogue les plus notoires du pays. C'est bien la preuve de l'inefficacité de notre système.

— Charles, dit Corinne en se penchant pour serrer le bras de son mari et indiquer Jordan d'un signe de tête. Tu sais combien elle s'inquiète pour Kyle. Évitons de parler de cela ce soir, s'il te plaît… Si vous nous racontiez comment vous vous êtes connus, tous les deux ?

Tout le monde se tut.

En toute honnêteté, Nick était étonné qu'on ne leur ait pas posé la question plus tôt. Jordan but nerveusement une gorgée de vin. C'était le moment qu'elle redoutait le plus, celui où elle allait devoir mentir à ses amis.

Peut-être pouvait-il lui donner un coup de main.

— Jordan et moi nous sommes rencontrés il y a deux semaines, dans sa boutique. Le soir de la tempête de neige…

Pete rit tout bas.

— Vous deviez avoir terriblement envie d'un verre de vin pour sortir par un temps pareil !

Nick s'inclina vers Jordan et entrelaça ses doigts avec les siens.

— Le Destin avait d'autres projets…

— Comme c'est mignon ! lança Melinda, attendrie.

— Et ensuite ? s'enquit Corinne.

Nick prit une décision. Par égard pour Jordan, il dirait la vérité – à quelques détails près.

— J'ai posé des questions à Jordan, nous avons échangé des remarques spirituelles. Je me rappelle en particulier un commentaire acerbe de sa part concernant le chardonnay. À partir de là, je ne peux pas vous dire exactement ce qui s'est passé mais cinq jours plus tard, j'étais avec elle en train de siroter du champagne rosé à la réception de Xander Eckhart…

Les amis de Jordan éclatèrent de rire.

— Et voilà ! Un joli sourire, deux ou trois quolibets, et d'ici à cinq ans, vous regarderez *Danse avec les stars* le lundi soir à la place du football, plaisanta Charles.

— Ne dénigre pas cette émission avant de l'avoir vue ! protesta Pete.

— Merci, murmura Jordan tandis que le groupe se mettait à taquiner Pete.

Au prix d'un effort surhumain, il réussit à articuler d'un ton neutre.

— À votre service, mademoiselle Rhodes.

Melinda et Corinne se ruèrent dans la cuisine où Jordan ouvrait la bouteille de moscato-d'asti qu'elle avait apportée pour le dessert.

— En ce qui concerne ton homme mystère, attaqua Melinda, j'ai l'impression que tu lui plais énormément.

— Je suis d'accord. Celui-là vaut le coup, renchérit Corinne. Et il *me* plaît. Ce qui, bien sûr, compte plus que tout.

— Il *nous* plaît ! souligna Melinda.

Jordan posa son tire-bouchon sur le comptoir, dépitée par tant d'enthousiasme. Ses amies appréciaient Nick ! Il ne manquait plus que cela ! Cela étant, elle ne pouvait guère leur en vouloir – question charme, il en faisait des tonnes.

— Tant mieux, marmonna-t-elle.

Elle ouvrit le placard derrière elle et en sortit six flûtes à champagne.

— C'est curieux, on dirait qu'il essaie de le cacher, dit Melinda. Il n'a pas arrêté de te glisser des regards pendant tout le repas.

— Je confirme ! s'exclama Corinne.

Jordan pivota vers elles.

— Je n'ai rien remarqué.

— Il t'appelle Rhodes. C'est rigolo.

— C'est mon nom.

— Oui, mais il le prononce avec affection. L'air un peu facétieux.

Les deux jeunes femmes gloussèrent, tandis que Jordan s'affairait, pressée d'écourter cette séance de débriefing.

— Nick est quelqu'un de complexe. Attendons un peu avant de lire entre les lignes, suggéra-t-elle.

Melinda la dévisagea.

— Jordan, tu n'as pas besoin de faire semblant avec nous. Tu as le droit d'avouer que ce type te plaît.

Elle se balança d'un pied sur l'autre, mal à l'aise.

— Je l'ai amené ici ce soir. C'est un bon début, non ?

Mais Corinne comme Melinda n'étaient pas satisfaites. Jordan dut se rendre à l'évidence. Ses copines ne la lâcheraient pas tant qu'elle n'aurait pas craché le morceau.

— D'accord. Il me plaît.

Elle attendit d'éprouver ce sentiment de remords qui l'assaillait dès qu'elle leur mentait.

En vain.

Peut-être avait-elle progressé plus qu'elle ne l'imaginait dans son rôle de complice d'un agent infiltré – à moins que ce ne soit dans celui de fiancée ?

18

— Comment ça, vous n'avez rien sur Stanton ? explosa Xander. Vous n'avez pas assez cherché.

Si Mercks comptait empocher quatre cents dollars de l'heure pour des résultats aussi médiocres, il allait être déçu.

On était dimanche matin – une semaine s'était écoulée depuis que Mercks avait entamé sa filature, et Xander l'avait conduit dans son bureau, où il traitait toutes ses affaires. Grâce au système d'alarme dont il avait équipé le sous-sol, il s'y sentait en sécurité.

— Croyez-moi, on a fouillé, répondit Mercks, du fond de son fauteuil. On a commencé par les éléments de base : Nick Stanton n'a pas de casier, pas de dettes et tous ses points sur son permis de conduire. Il possède un appartement à Bucktown d'une valeur d'un peu moins d'un demi-million de dollars et paie ses traites en temps et en heure. Entre ses comptes-chèques et ses comptes épargne, ses actions et ses obligations, il vaut un demi-million supplémentaire… Ensuite, nous avons examiné son passé : il est fils unique, ses deux parents sont décédés. Il n'a ni ex-épouse ni enfants. Il a grandi dans une ville de taille moyenne non loin de Philadelphie et suivi ses études à l'université de Pennsylvanie. Il s'est installé à Chicago environ un an après avoir obtenu son diplôme de management et n'a pas bougé depuis.

— Et son boulot ? insista Xander. Cette société immobilière...

Mercks opina.

— En effet, Stanton a fondé une entreprise qui achète des immeubles à but locatif. Il a un petit bureau à Lakeview géré, d'après ce que nous avons vu, par deux employés. Stanton s'y rend chaque matin à 8 h 30 et repart aux alentours de 18 heures. Il s'accorde trente minutes de pause déjeuner et mange le plus souvent chez *Jimmy John*. J'ignore s'il préfère le poulet ou le rosbif – ce détail ne m'a pas paru important.

Xander n'apprécia pas cette tentative d'humour.

— Et sa relation avec Jordan ?

— Nous n'avons pas interrompu la surveillance depuis votre réception. Il a passé la nuit chez elle et le lendemain matin, ils sont sortis s'acheter un café chez Starbucks. Ils se sont revus hier soir – un dîner chez des amis à elle, à Andersonville. Il l'a ramenée chez elle vers minuit et a passé une vingtaine de minutes à l'intérieur avant de repartir.

— Il n'y a pas dormi ?

— Elle avait peut-être la migraine.

— Ou elle commence à se lasser de lui...

Mercks haussa les épaules.

— À vous d'en décider. Voici les photos, ajouta le détective en lui présentant une grande enveloppe. Elles sont classées par ordre chronologique.

Xander les étudia attentivement. La première pile comprenait celles prises le soir de sa fête, à en juger par le bout d'étoffe améthyste visible sous le manteau de Jordan. Ils s'embrassaient sur le perron et ne semblaient pas du tout lassés l'un de l'autre...

Il observa les clichés suivants. Jordan et Nick émergeant de Starbucks, main dans la main. Stanton, un bras autour de sa taille, lui chuchotant quelque chose à l'oreille devant l'entrée d'une maison – sans doute celle de ses amis. Enfin, Jordan sur le seuil de sa propre demeure, suivant des yeux Nick qui s'en allait...

— La dernière date d'hier soir, précisa Mercks.

Xander les rangea dans l'enveloppe et posa le tout de côté.

— Je ne suis pas convaincu et je vais vous dire pourquoi. Je connais beaucoup de gens dans cette ville et je me suis renseigné. Personne n'a jamais entendu parler de Nick Stanton. Comme expliquer que ce moins que rien surgi de nulle part et ignare en matière d'œnologie ait pu ensorceler Jordan ? Je n'y crois pas une seconde.

— Pourtant, cela arrive tous les jours.

— On ne rencontre pas Jordan Rhodes par hasard. Son père est milliardaire. Non, il s'agit d'un complot. Stanton veut son argent. C'est sûrement un escroc... Continuez à le surveiller. Cette histoire est louche, je le sens.

Le lendemain, dans son bureau factice, Nick se cala confortablement dans son fauteuil. Il sourit, amusé par ce tout dernier rapport.

— Ainsi, Eckhart me prend pour un escroc à l'affût de la fortune de Jordan. Parfait ! Cela devrait l'occuper un moment.

Il avait téléphoné à Huxley après avoir écouté l'enregistrement de cette conversation. Depuis qu'il s'était remis de sa grippe intestinale, son partenaire prenait chaque jour son poste dans le sous-marin, à une centaine de mètres du *Bordeaux*. Au fil de dix jours de collaboration, ils avaient développé une excellente relation de travail. Huxley enregistrait toutes les discussions d'Eckhart et lui transmettait les fichiers par mail en lui indiquant les passages les plus pertinents pour leur enquête.

Deux collègues prenaient le relais en soirée et pendant la nuit – parmi lesquels l'agent Simms qu'Eckhart avait renvoyée comme promis dès le lendemain de sa réception. Toutefois, jusqu'ici, les informations récoltées demeuraient insuffisantes, et Nick commençait à en avoir assez de passer son temps enfermé dans un local étouffant en compagnie de deux stagiaires jouant respectivement le rôle d'Ethan, le gérant, et de Susie, la secrétaire.

Il les contempla à travers la cloison de verre. Par chance, ils pouvaient travailler à distance sur leur ordinateur portable. Les pauvres ! Il imaginait leur excitation quand Davis leur avait annoncé qu'ils allaient participer à une opération sur le terrain. Ils devaient être cruellement déçus.

— Tant qu'Eckhart sera dupe, on n'a pas grand-chose à craindre, assura Huxley. Malgré tout, j'avoue que je serai content d'en finir avec cette étape et de clôturer le dossier.

Nick était aussi de cet avis. La situation avec Jordan devenait inconfortable. En d'autres circonstances, pressentant un tournant dans leurs rapports, il se serait dérobé. Mais avec elle, il était pris au piège. Il n'avait pas d'autre solution que de se comporter comme à son habitude, se contentant de répondre du tac au tac comme s'il n'éprouvait aucun sentiment pour elle.

Parce que c'était ainsi. Un agent secret ne s'attachait jamais à une personne liée ou impliquée dans une affaire.

Il ne s'en plaignait pas – il avait accepté le défi. Il avait travaillé dur pour en arriver là. Il était le meilleur. S'il avait échoué, il ne serait qu'un type avec un badge, un pistolet et une barbe naissante. Comme Pallas.

Cette pensée l'encouragea.

— Moi aussi, Huxley. Moi aussi. Plus vite on aura bouclé cette affaire, mieux on se portera.

19

Jordan afficha un sourire chaleureux pour ses clients.

— Qu'en pensez-vous ?

— J'aime beaucoup, répondit la jeune femme en faisant tournoyer son chardonnay dans son verre.

— Moi aussi, renchérit l'homme qui l'accompagnait. Prenons-en une bouteille.

— Parfait !

Jordan fit payer ses clients puis se dirigea vers l'une des tables en coin où s'était installé un groupe de quadragénaires.

— Mesdames ? Tout va bien ? Avez-vous des questions ?

Après en avoir fini avec elles, elle renseigna encore quelques personnes avant de retourner derrière le bar pour encaisser la commande d'un habitué.

— Vous avez du monde, ce soir, fit-il remarquer.

Jordan emballa ses quatre bouteilles.

— Je ne peux pas me plaindre.

En fait, si, mais elle s'en garderait bien.

La grippe intestinale avait frappé.

Ses deux vendeurs étaient en congé maladie depuis lundi, ce qui signifiait qu'elle et Martin avaient dû se partager tout le travail. Ce n'était pas un problème en soi, mais comme elle avait rendu visite à Kyle dans la matinée, Martin avait ouvert la boutique et elle devait assurer la soirée seule. Elle n'avait pas cessé de courir depuis 17 h 30, elle n'avait pas déjeuné et elle était de fort méchante humeur.

Elle se força néanmoins à sourire et se dirigea vers la porte du fond. Apparemment, tout le monde était servi, elle pouvait s'échapper trente secondes.

Le carillon retentit. Si un client de plus franchissait ce seuil avant qu'elle ait pu souffler une minute, elle allait lui enfoncer son tire-bouchon dans…

Elle se figea.

Nick !

Elle lui tomba littéralement dans les bras.

— On dirait que je t'ai manqué, plaisanta-t-il.

— Je t'en prie, donne-moi un coup de main.

Il redevint sérieux.

— Dis-moi ce que je peux faire pour toi.

— Oh, merci, merci ! Place-toi ici et veille à ce que personne ne chaparde un verre de vin… Et ne touche à rien ! ajouta-t-elle juste avant de disparaître en direction des toilettes.

À son retour, Nick était toujours à son poste. Il montra la porte.

— J'espère que ce n'est pas un problème ? Deux types sont entrés avec une brouette et ont emporté deux caisses pleines. Comme ils n'ont pris que du rosé, j'ai pensé que personne ne s'en offusquerait.

— Très drôle ! commenta Jordan en se glissant derrière le bar. Merci. À propos, que fais-tu ici ? Enfin je veux dire, euh… Quelle bonne surprise, mon chéri !

Nick haussa les épaules.

— J'ai travaillé tard et je m'apprêtais à rentrer chez moi quand j'ai eu tout à coup très envie de voir ma petite amie.

Jordan en déduisit qu'il était suivi.

— Je ferme dans vingt minutes. On pourrait aller manger un morceau ensemble ?

Nick consulta sa montre.

— Tu n'as pas encore dîné ? Il sera plus de 21 h 30 quand nous sortirons d'ici.

— Ou un peu plus tôt si mon adorable fiancé m'aide à ranger.

Apercevant un client qui se rapprochait de l'autre extrémité du comptoir, elle abandonna Nick à son triste sort. Quelques minutes plus tard, lorsqu'elle put enfin se libérer, elle constata qu'il n'était plus là. Elle scruta le magasin, perplexe, mais n'eut pas le temps de s'en inquiéter jusqu'au départ du dernier consommateur.

Jordan verrouilla la porte. Ouf ! Elle avait survécu. Sans vouloir offenser ses clients grâce auxquels elle gagnait si bien sa vie, elle avait eu l'impression qu'ils ne partiraient jamais. Elle baissa les stores et se retourna pour inspecter les lieux.

Un désastre…

Lorsqu'on frappa discrètement, elle s'approcha de la porte, prête à renvoyer l'importun. C'était Nick.

— Tu es trop mince, bougonna-t-il. Si ma mère te voyait, elle te menotterait à la table de la cuisine et te gaverait de lasagnes pendant une semaine.

Il brandit deux sacs à rayures blanches et rouges.

— Comme j'ignorais si les riches héritières préféraient les hot-dogs, les hamburgers ou les sandwichs italiens au rosbif, j'en ai acheté un de chacun.

Devant les sacs estampillés Portillo, Jordan sentit ses jambes se dérober sous elle. Le *nec plus ultra* de Chicago.

— Dis-moi que tu as aussi pensé aux allumettes au fromage, chuchota-t-elle.

— Absolument.

— Tu es un dieu !

Ils s'installèrent à une table nichée entre deux rangées de casiers. Tandis que Nick déballait la nourriture, Jordan ouvrit une bouteille de zinfandel et s'en versa un verre.

— Tu en veux ?

Il haussa un sourcil.

— Du vin avec des frites ? Non merci.

— Le vin va avec tout. Surtout après une dure journée de labeur.

Après une légère hésitation, Jordan décida que la riche héritière avait envie d'un hamburger. Elle poussa un soupir de bonheur en s'asseyant pour la première fois depuis des heures.

— Hum !

— Tu n'as pas gémi quand tu as goûté ce vin chez Eckhart. Le château-seville.

— Sevonne, rectifia-t-elle. En effet, rien ne vaut un hamburger Portillo. Quand j'étais enfant, nous y allions pratiquement tous les samedis soir… Quel délice ! Je n'en ai pas mangé depuis des années, avoua-t-elle en fermant les yeux.

Quand elle les rouvrit, elle s'aperçut que Nick la fixait.

— Quoi ?

— Quand tu manges, quand tu bois, ton visage devient… De quoi parlions-nous ?

— De nourriture. De vin.

Nick décapsula son soda.

— Qu'est-ce qui t'a incitée à faire ce métier ?

Jordan trempa une pomme allumette dans la sauce au fromage.

— Ma mère. C'était une passionnée. Quand j'étais au lycée, mon père avait une loge au stade et pendant l'été, il emmenait mon frère Kyle voir les matchs les soirs de semaine. Il me proposait toujours de les accompagner mais le sport, ce n'est pas mon truc... Bref, ces soirs-là, ma mère et moi allions dîner au restaurant. C'étaient nos « soirées entre filles », comme elle disait. Elle me permettait de boire un verre de vin, ce qui, bien entendu, me réjouissait. Je n'avais pas le droit de le dire à mon père ni à Kyle. C'était notre secret à toutes les deux.

Elle sourit à ce souvenir.

— Dommage qu'elle n'ait jamais pu voir cette boutique. Elle aurait été fière de toi.

Jordan hocha la tête et ses yeux se voilèrent de larmes. Elle s'éclaircit la gorge, s'efforçant de maintenir un ton léger.

— Oui, plus que de Kyle. Pour l'heure, il a sérieusement entaché la réputation des jumeaux Rhodes.

Nick s'esclaffa.

— Tu peux te féliciter de ta réussite.

Jordan eut un sursaut.

— Serait-ce un compliment ?

Il marqua une pause, comme s'il venait de se rendre compte de ce qu'il avait dit.

— Pourquoi pas ? Même moi, je suis capable de flatter ma petite amie quand mon rôle l'exige...

— Et toi ? Comment as-tu atterri au FBI ?

— Cela remonte à l'époque où j'avais dix ans. On m'a jeté en prison.

— À dix ans ? En quel honneur ?

— Mes frères et moi avions brisé quelques vitres avec un ballon après qu'un camarade nous avait traités de crétins. Mon père, qui était sergent dans la police de New York, nous a embarqués au commissariat et enfermés dans une cellule pendant six heures. On a eu une sacrée trouille !

— Je m'en doute ! rétorqua-t-elle avec un sourire. Pardon... Je suis sûre que ce fut une expérience traumatisante.

Il lui vola une frite.

— Continue à te moquer de moi, je les mangerai toutes ! menaça-t-il.

— Je suis tout ouïe...

— Quand nous sommes rentrés le soir, mon père nous a expliqué qu'il comptait sur nous désormais pour bien nous conduire et faire honneur au badge qu'il portait avec tant de fierté. Je me rappelle avoir pensé à cet instant qu'un jour, j'aimerais être aussi fier que lui de mon métier. En sortant de l'université, j'ai rejoint la police de New York. Je m'y plaisais mais au bout de cinq ans, j'ai eu envie de changer d'horizon et je me suis tourné vers le FBI. Après les cours de l'Académie, on m'a muté à Chicago. Je devais n'y rester que trois ans, mais j'aime cette ville. Et vivre loin de ma famille est plutôt un avantage.

— Que pensent tes parents de ton évolution ?

— Si tu entendais ma mère ! « Mon fils, l'agent du FBI, pérora-t-il en imitant l'accent de Brooklyn. Vous croyez qu'il a le temps de téléphoner, avec toutes ces affaires qu'on lui confie ? Je pourrais être *morte* qu'il ne le saurait pas ! »

Jordan rit, ravie de découvrir l'univers de Nick McCall.

— Ils doivent te manquer.

Nick haussa les épaules.

— Bien sûr. Toutefois, je me garde bien de l'avouer à mes frères. Nous prenons plaisir à nous chamailler.

— Je sais ce que c'est, murmura-t-elle.

Lorsqu'ils eurent terminé leur repas, Nick proposa de l'aider à ranger la boutique.

— Ce n'est pas la peine ! protesta-t-elle. Je plaisantais, tout à l'heure.

— J'insiste. Si quelqu'un nous observe, mon personnage doit se comporter en petit ami attentionné et serviable.

Elle lui lança un torchon.

— Dans ce cas, ton personnage peut laver tous ces verres sales.

À eux deux, ils accomplirent rapidement toutes les tâches. La voiture de Nick était garée devant le magasin et il tint à déposer Jordan devant chez elle, puis à l'accompagner jusqu'à sa porte. Comme de coutume, elle le vit scruter tous les autres véhicules stationnés dans la rue.

— On nous a encore suivis ?

— Je n'en ai pas l'impression. La voie est libre.

— Tant mieux.

Jordan s'immobilisa sur le perron, et elle songea tout à coup que c'était leur première vraie soirée en tête à tête.

— Merci pour… pour cet excellent moment.

— Cela semble te surprendre. Je n'ai pas que des défauts, tu sais.

— Pas que…

Il inclina la tête, réfléchit.

— Pas que… je suppose que c'est un progrès.

Ils étaient dangereusement proches l'un de l'autre. Ridicule, puisque cet arrangement entre eux n'était qu'une mascarade.

Un silence les enveloppa. La nuit, la rue, tout semblait soudain immobile. Pour finir, Jordan désigna sa porte.

— Je devrais rentrer. On gèle…

Nick montra sa voiture.

— En effet. Et moi, je ferais mieux de rentrer chez moi.

Mais ils ne bougèrent ni l'un ni l'autre.

— Alors, à un de ces jours ! bredouilla Jordan.

Quand elle se détourna, Nick la rattrapa par la main.

— Jordan, murmura-t-il, si doucement qu'elle faillit ne pas l'entendre.

Lorsqu'elle pivota vers lui, il plongea son regard dans le sien comme s'il y cherchait quelque chose.

Puis, subitement, le charme fut rompu. Il redevint impassible et la salua d'un bref signe de tête.

— Je t'appelle…

Il lâcha sa main et redescendit l'escalier sans un regard en arrière.

20

Le lendemain, en arrivant à la boutique, Jordan passa la première heure à vérifier son inventaire et à faire ses commandes chez ses distributeurs pour le mois à venir. Elle partait à la fin de semaine pour la vallée de Napa, un voyage prévu depuis des mois. Si elle avait l'habitude de se rendre dans cette région trois ou quatre fois par an pour affaires, cette fois-ci, elle était particulièrement excitée à la perspective de visiter un nouveau vignoble dont elle envisageait de vendre les produits.

De surcroît, elle était impatiente d'oublier un peu Chicago, les missions d'infiltrations du FBI et tout le reste. Quelques jours de solitude lui seraient bénéfiques et lui permettraient de retrouver toute sa lucidité. Peut-être finirait-elle enfin par cesser de se demander si Nick avait eu envie de l'embrasser, la veille…

Pour une raison ou pour une autre, la frontière entre la fiction et la réalité s'était brouillée.

Pour chasser ses pensées troublantes, Jordan s'efforça de se concentrer sur son travail. Afin de compenser les heures supplémentaires que ses employés devraient assurer en son absence, elle s'était proposée pour assurer à la fois l'ouverture et la fermeture ce jour-là. Dieu merci, Andrea se sentait mieux et devait arriver à 13 heures, Jordan ne serait donc pas toute seule en soirée.

Ces premières tâches accomplies, elle déposa un post sur Facebook pour avertir ses habitués de la promotion du week-end : trois bouteilles achetées, la quatrième à moitié prix. Puis elle s'attaqua à sa corvée préférée – le paiement des factures. Elle grimaça devant la note de fuel en s'indignant du coût exorbitant du chauffage. Apparemment, ces gens-là la prenaient pour une… riche héritière.

Peu avant midi, le carillon de la porte d'entrée retentit et sa première cliente entra. Jordan adressa un sourire à la jolie brune en anorak et pantalon de yoga moulant sa silhouette impeccable.

« Soit elle va à la salle de gym, soit elle en revient », se dit Jordan.

— Bonjour. Puis-je vous aider ?

La jeune femme parut réfléchir à cette question.

— Je regarde…

Elle scruta les alentours comme pour vérifier s'il y avait d'autres personnes.

— Prenez votre temps. Si vous avez des questions, n'hésitez pas.

L'autre marqua une pause.

— En fait, oui, j'ai une question, lança-t-elle en s'approchant du bureau. C'est sérieux, entre vous et Nick ?

Jordan fut prise de court.

— Pardon ?

— Nick McCall. C'est sérieux, entre vous ?

Jordan pesa ses mots.

— Je connais un Nick Stanton, mais pas de Nick McCall… Je vous prie de m'excuser, ajouta-t-elle en examinant l'inconnue de bas en haut. Je n'ai pas retenu votre nom.

— Lisa. Et le type qui est venu hier soir était bel et bien Nick McCall. Croyez-moi, je le connais bien.

Malgré elle, Jordan s'offusqua.

— Dans ce cas, pourquoi me demander ce qu'il en est de notre relation ?

Lisa changea de position, vaguement mal à l'aise.

— Je n'ai plus de nouvelles depuis deux semaines. Hier, je l'ai vu par hasard dans sa voiture. Je l'ai suivi jusqu'ici. J'avais l'intention d'entrer pour le surprendre quand je vous ai aperçus tous les deux. Vous paraissiez très proches.

— C'est à Nick que vous devriez en parler, pas à moi.

Lisa rit aux éclats.

— Au fond, vous ne savez pas grand-chose de lui. On n'interroge pas Nick. Cela fait partie de son numéro « je refuse tout engagement ». À moins que vous n'ayez pas encore eu droit à ce discours ? s'enquit-elle en haussant un sourcil.

Jordan sentit un violent sentiment de déception la submerger.

Nick refusait tout engagement. Et alors ? Normal qu'il ne lui ait rien déclaré de la sorte : leur situation ne s'y prêtait pas. Car, comme elle s'en était doutée, tout lien entre eux était imaginaire.

Se ressaisissant, elle parvint à garder sa contenance. Elle était chez elle, elle ne permettrait à personne de la ridiculiser !

— Vous n'espérez tout de même pas que je vous raconte nos conversations ?

— Ah ! Je comprends. Vous avez couché ensemble, n'est-ce pas ? murmura Lisa avec un sourire satisfait. Écoutez-moi, ma chère, je regrette d'avoir à vous annoncer cette mauvaise nouvelle mais tôt ou tard il vous servira son petit sermon. Faites-moi confiance, vous ne serez ni la première ni la dernière !

Jordan feignit de méditer cette affirmation.

— Merci pour vos conseils, Lisa. Tout cela est très instructif. Notamment le fait que vous ayez suivi Nick et que vous soyez restée devant mon magasin à nous surveiller. Savez-vous ce que je fais après avoir filé mon ex-petit ami ? Je m'offre un bon verre de syrah. Vous avez de la chance car aujourd'hui, nous proposons une promotion sur certains de nos rouges...

De l'autre côté de la rue, l'adjoint de Mercks, un certain Tennyson, se figea avec son appareil photo tandis que la porte de la boutique s'ouvrait brutalement. La brune en émergea, l'air furieux, et se dirigea droit vers la voiture dans laquelle il était assis.

Tennyson fut pris de panique. Sur un coup de tête, il avait décidé de s'intéresser à Jordan Rhodes dans l'espoir qu'elle pourrait lui révéler quelque chose. Car au bout de onze jours de filature, il n'avait toujours rien à soumettre à Eckhart concernant Stanton. Sa routine étant immuable, ce dernier ne quitterait pas son bureau pour aller déjeuner avant 13 heures, Tennyson avait donc tout son temps.

Au début, suivre Jordan Rhodes lui avait paru tout aussi ennuyeux que de filer Stanton. Tennyson s'était garé en face du magasin. Grâce au zoom de son appareil, il pouvait voir ce qui se passait à l'intérieur. La jeune femme avait passé de nombreux coups de fil, travaillé derrière le comptoir sur son ordinateur portable, réaménagé des rayonnages. Rien de palpitant.

Puis la jolie brune avait surgi et la situation avait pris un tour nouveau.

Tennyson supposait qu'il s'agissait d'une cliente et d'après ce qu'il distinguait à travers son objectif, Jordan Rhodes aussi. Mais tout à coup, la brune avait dit quelque chose et Rhodes s'était raidie. Il n'avait aucune idée de la nature de leur échange mais à en juger par leur langage corporel, une bagarre paraissait imminente. Puis Rhodes avait souri en désignant des bouteilles sur le bar et la brune était repartie au pas de charge.

Tennyson jeta précipitamment son appareil photo sur le siège passager et le recouvrit avec son sac à dos contenant les en-cas, la bouteille d'eau et le paquet de cigarettes qu'il emportait toujours avec lui lorsqu'il effectuait une surveillance. Il s'empara de son portable sur le tableau de bord et fit mine de téléphoner.

La brune brandit une télécommande pour déverrouiller son véhicule et les phares de la voiture juste devant se mirent à clignoter. Pour l'heure, elle ne l'avait pas remarqué. Du coin de l'œil, Tennyson la vit composer un numéro sur son portable. Il avait fumé un peu plus tôt et baissé légèrement sa vitre pour aérer l'habitacle. Il était donc en parfaite position pour entendre sa part de la conversation tandis qu'elle se rapprochait. Elle semblait laisser un message sur une boîte vocale.

— Bonjour, Nick McCall, ou devrais-je dire, Nick Stanton – bref, peu importe – je croyais que tu ne m'appelais plus parce que tu étais sur une nouvelle mission, pas parce que tu avais fait une nouvelle conquête. Tu m'as menti. C'est curieux, ça ne me surprend pas. Après tout, c'est ainsi que tu gagnes ta vie. En mentant !

Le reste de sa tirade s'estompa alors qu'elle s'installait au volant et claquait sa portière.

Tennyson demeura immobile, mais dès que la brune eut démarré, il appela son acolyte.

— Mercks ! Tu ne vas pas me croire. J'ai quelque chose sur Stanton. Enfin ! Il faut tout reprendre à zéro et effectuer une recherche sur un dénommé Nick McCall…

21

À 20 heures ce soir-là, la boutique était bondée comme tous les jeudis soir car les clients aimaient s'approvisionner en vin à l'approche du week-end.

Andrea attira Jordan à l'écart.

— Un certain Nick Stanton vous demande au téléphone. Il dit que c'est important.

— Sur mon portable ?

— Non, le fixe.

— Merci, Andrea.

Jordan se réfugia dans l'arrière-boutique et décrocha.

— Allô ?

Nick paraissait furieux.

— J'ai tenté de te joindre sur ton portable toute la journée.

— J'ai eu tes messages mais je n'ai pas eu le temps de te rappeler.

— Il faut qu'on se parle. Au sujet de Lisa.

— J'ai dit tout ce que j'avais à dire à ta boîte vocale.

— Je suis désolé qu'elle soit venue t'importuner. C'est inadmissible. Euh... Que t'a-t-elle raconté, exactement ?

— Elle m'a posé des questions sur notre relation. Ensuite, elle a parlé de ton comportement envers les femmes.

Il y eut un long silence.

— Ah...

« C'est donc vrai ! » songea Jordan.

Nick poussa un profond soupir.

— Je ne peux pas quitter mon bureau tout de suite car je suis sur un dossier. J'en ai encore pour une heure. Mais nous devons absolument nous voir. Je passerai dès que je serai disponible.

— Je n'en vois guère l'utilité. Tu ne me dois aucune explication, bien que mon personnage soit un peu surpris d'apprendre que tu es un de ces types qui fuient toute relation sérieuse.

— J'ai de bonnes raisons.

— Comme tous les autres... Il faut que je te laisse. J'ai des clients à servir.

— Non, Jordan, nous devons...

On frappa à la porte et Andrea passa la tête dans la pièce.

— Excusez-moi. Quelqu'un vous demande.

— Malheureusement, mon chou, il faut que j'y aille. À plus tard !

Jordan raccrocha, s'arma de son plus joli sourire et se tourna vers sa vendeuse.

— Merci. De quoi s'agit-il ?

— Aucune idée. Il est très beau, précisa Andrea en gloussant.

Jordan se leva avec difficulté.

— Pourvu que ce ne soit pas Eckhart !

Elle n'était pas du tout d'humeur à l'affronter maintenant.

— Ce n'est pas lui. Ce type prétend que vous lui devez une caisse de vin.

Intriguée, Jordan suivit Andrea dans la salle. Presque toutes les tables étaient occupées. Soudain, elle repéra le mystérieux visiteur, dans un coin près de la section « vins de desserts et champagnes ».

— Jordan Rhodes… Enchanté de vous revoir !

— Cal Kittredge ! Quelle surprise !

Une heure plus tard, Nick jurait dans sa barbe, exaspéré par le manque de places de parking aux alentours des *Caves Delavigne*. Il en trouva enfin une, au bout de la rue, s'y gara et sortit de sa voiture. Ce soir, il avait une mission à accomplir, et sa cible était Jordan Rhodes. Qu'elle le veuille ou non, ils devaient discuter.

Il était un peu plus de 21 heures et elle devait être en train de ranger, songea-t-il en s'immobilisant devant la vitrine et scrutant l'intérieur.

Il la suivit des yeux tandis qu'elle se dirigeait vers le bar en chemisier de satin, jupe étroite et escarpins noirs. Avant d'entrer, il s'octroya le plaisir de l'observer. Elle s'empara d'une bouteille et la posa sur une table, dans un coin.

Décidément, elle était superbe. L'homme qui aurait la chance de…

Nick eut un sursaut en découvrant celui avec lequel elle bavardait. Taille moyenne, coiffure impeccable, cache-col noué autour du cou malgré la chaleur.

Un snob, de toute évidence.

Jordan remplit deux verres et s'installa en face dudit snob. Il lui dit quelque chose qui la fit rire. Elle but une gorgée de vin et parut y prendre du plaisir. Du moins est-ce ainsi que Nick interpréta l'expression de son visage.

Le snob rit, visiblement séduit.

Nick craqua.

Comment osait-elle flirter de la sorte, à la table même où ils avaient dîné ensemble, la veille ? De quel droit se permettait-elle de minauder devant cet abruti en écharpe ? Elle allait voir ce qu'elle allait voir !

Jordan posa son verre et, paupières closes, s'abandonna au plaisir de l'explosion des arômes dans sa bouche.

— Hum ! J'en avais bien besoin.

— Dure journée ?

— Terrible.

Elle avait libéré Andrea quelques minutes plus tôt pour se faire pardonner de l'abandonner pendant tout le week-end. Par chance, la boutique n'était pas trop en désordre.

— Et si je vous donnais un coup de main ? proposa Cal comme s'il avait lu dans ses pensées. Ensuite, on pourrait essayer ce restaurant thaï dont je vous ai parlé la dernière fois. C'est moi qui vous invite !

— Merci beaucoup, murmura-t-elle. Mais je ne peux pas.

— À cause du grand brun ténébreux ?

Déciment, le monde entier avait lu *Vu et entendu* !

— La situation avec le grand brun ténébreux est... compliquée.

— À savoir ?

« Vous ne me croiriez pas si je vous l'expliquais », pensa-t-elle.

Le carillon retentit et un souffle d'air froid pénétra dans les lieux. Sidérée, Jordan découvrit Nick sur le seuil.

Il portait son pardessus sombre et avait l'air furieux. Le regard rivé sur eux, il s'avança jusqu'à la table.

— On dirait que j'arrive juste à temps... Nick, annonça-t-il en tendant sa main à l'homme.

— Cal Kittredge.

— Content de vous connaître, Cal. La boutique est fermée.

— Nick ! protesta Jordan, gênée.

— Vous voyez bien ? riposta-t-il en tapotant sa montre. 21 heures.

— J'ai comme l'impression que j'ai mis les pieds dans le plat, marmonna Cal en les observant tour à tour.

Nick eut un sourire hypocrite.

— Exact. C'est le moment ou jamais de les retirer.

Il saisit le manteau de Cal et le lui présenta.

— Tu plaisantes ? s'insurgea Jordan.

— Pas du tout, ma chérie. Nous devons parler, toi et moi.

— Cal, je suis navrée. Vous n'êtes pas obligé de partir.

— Aucune inquiétude, Jordan ! Il vaut mieux que je vous laisse. Nous nous reverrons quand je viendrai chercher ma caisse de vin.

Nick fronça les sourcils.

Jordan se leva, contourna Nick et suivit Cal dans la rue. Éprouvant le besoin de s'accorder un moment pour se calmer, elle verrouilla la porte et abaissa les stores. Les passants éventuels n'avaient pas besoin de savoir qu'elle s'apprêtait à se disputer violemment avec son prétendu petit ami !

Enfin, elle se tourna vers lui.

— Je n'en reviens pas que tu aies pu agir de cette manière...

Il s'était débarrassé de son pardessus qu'il avait drapé sur le dossier d'une chaise, signe qu'il avait l'intention de s'imposer. S'adossant contre la table, il croisa les bras.

— Excuse-moi. Ai-je interrompu quelque chose entre toi et ton client ?

— Parfaitement ! ça s'appelle une conversation. Par ailleurs, Cal Kittredge est aussi le critique du cahier gastronomique du *Tribune*. Les gens du métier évitent en général de le jeter dehors !

— Je n'imaginais pas qu'il comptait à ce point pour toi, railla Nick.

Elle le fusilla des yeux.

— Qu'est-ce que tu as ?

Nick se redressa et vint vers elle.

— Je vais te le dire. À ton avis, si quelqu'un était passé, qu'aurait-il vu à travers la vitrine ? Ma soi-disant petite amie buvant un verre avec un autre homme…

« Mais bien sûr ! L'enquête ! Il ne pensait qu'à cela ! »

— Que faisait-il ici ? Tu es… tu t'intéresses à ce type ?

Elle s'éloigna vivement.

— Je ne suis pas obligée de te répondre.

Il la rejoignit.

— Si. Ce pourrait être important pour notre opération.

Jordan pivota vers lui.

— J'en ai assez de ta mission d'infiltration ! Je ne t'ai posé aucune question quand ton ex-fiancée a débarqué ici me parler de toutes les femmes avec qui tu as couché. Et me préciser que tu n'es pas du genre à t'engager. La règle vaut aussi pour moi : pas de questions. Ce qui signifie que si j'ai envie de boire un verre avec Cal ou avec n'importe quel homme, c'est mon problème, pas le tien !

Elle plaqua les mains sur la poitrine de Nick pour le repousser.

Il ne bougea pas d'un millimètre.

Au contraire, il l'empoigna et la serra contre lui.

— C'est faux, grogna-t-il. Ça me regarde, au contraire.

Il pencha la tête vers elle et prit ses lèvres en un baiser brutal, possessif. Choquée, elle agrippa son pull pour le bousculer mais, loin de l'éloigner, elle l'attira vers elle.

Il l'embrassa jusqu'à ce qu'elle en perde le souffle puis s'écarta et la contempla de ses yeux verts.

— Je doute que ce dandy soit aussi doué que moi, marmonna-t-il d'une voix rauque.

Jordan s'empourpra.

— Je parie qu'il existe des centaines de types aussi doués que toi !

— Alors je vais devoir déployer plus d'efforts pour sortir du lot.

De nouveau, il l'étreignit. Ils se heurtèrent au mur, près d'une rangée de casiers. Quand la bouche de Nick glissa dans son cou, Jordan eut l'impression que ses jambes la lâchaient. Elle réprima un gémissement.

— Je ne devrais pas, murmura-t-elle… d'autant que tu m'exaspères les trois quarts du temps.

— Et le quart restant ?

Sans attendre sa réponse, il saisit le col de son chemisier et tira dessus d'un geste impatient. Le premier bouton sauta, puis le deuxième…

Il écarta les pans du vêtement, révélant son soutien-gorge.

— Tu pourrais me dire d'arrêter.

Comme elle demeurait silencieuse, il continua et elle sentit un souffle d'air frais sur ses épaules tandis qu'il recommençait à l'embrasser.

— Nick…

Il libéra l'un de ses seins et en titilla le mamelon du bout de la langue. Jordan plongea les doigts dans ses cheveux, se délectant de leur épaisseur satinée.

— Seigneur, Jordan ! Tu me rends fou !

Les paupières closes, elle se mordit la lèvre. Il passa une main le long de sa cuisse, sous sa jupe, et son corps trembla par anticipation. Quand il glissa la main dans son slip, elle laissa échapper un cri, assaillie de sensations exquises.

Il inséra doucement un doigt en elle et le fit aller et venir avec lenteur.

— Tu en as envie ? chuchota-t-il. Je veux te l'entendre dire… Plus de jeux, plus de sarcasmes. Juste la vérité.

Elle n'avait pas besoin de réfléchir – la vérité, elle la connaissait. Peut-être était-ce idiot de sa part de lui céder malgré tout ce que Lisa lui avait raconté. Mais ce serait encore plus idiot de laisser la jalousie d'une inconnue lui dicter ses actes. Concernant Nick, elle prendrait ses propres décisions, et en assumerait les conséquences.

Elle le repoussa légèrement et plongea son regard dans le sien.

— Ramène-moi à la maison.

Il y eut un déclic. Elle le vit sur son visage à l'expression radoucie. Le masque de l'agent secret disparut subitement, dévoilant l'homme.

— Si je te ramène chez toi, je resterai dormir. Toute la nuit.

Elle opina.

— J'espère que tu diras plein de gros mots.

Il s'esclaffa puis lui caressa la joue avec son pouce.

— Franchement, Rhodes, vous n'êtes pas convenable !

Elle sourit en se blottissant contre lui. Corinne et Melinda avaient raison – cette façon qu'il avait de l'appeler par son nom de famille lui plaisait.

Son portable retentit dans l'arrière-boutique, mais elle l'ignora. Nick, lui, se figea quand le fixe de la boutique se mit à sonner.

— Laisse tomber ! grommela Jordan. Je vais chercher mon manteau. Allons-nous-en d'ici !

Le fixe se tut, le portable prit le relais. Nick émit un juron en secouant la tête avec vigueur.

— Je n'en reviens pas... Jordan, il faut que tu décroches.

Elle tendit les bras vers lui.

— Ça peut attendre. Je suis occupée.

— Non, c'est urgent. Ce... c'est probablement quelqu'un qui t'appelle pour t'annoncer que ton frère vient d'être poignardé.

Le cœur de Jordan fit un bond.

— Pourquoi m'annoncerait-on une pareille nouvelle ?

Nick vérifia sa montre.

— Parce qu'il y a une dizaine de minutes, ton frère a été poignardé... Il va bien, je te le promets. Mais il vaut mieux que tu prennes cet appel. Si c'est ton père, surtout qu'il ne s'affole pas. J'ose à peine imaginer la manière dont les médias traitent cette nouvelle.

— Les médias ? Qu'avez-vous fait à mon frère ? s'écria-t-elle en rajustant ses vêtements et en se ruant dans l'arrière-boutique.

Nick la rattrapa.

— Je sais que tu es bouleversée, mais pour l'heure, tu dois me faire confiance. Si c'est ton père au bout du fil, dis-lui que tu as parlé avec l'infirmière des urgences de l'hôpital Northwestern et que Kyle est en vie.

Elle ravala sa salive.

— Il est aux urgences ?

— Contente-toi de rassurer ton père.

— Allô ? Papa ?

— Jordan… tu as vu les informations ?

— À propos de Kyle, je suis au courant. J'allais t'appeler.

Il poussa un soupir comme s'il était soulagé de ne pas avoir à le lui annoncer lui-même.

— Je ne sais rien d'autre que ce qu'ils disent à la télévision – qu'il a été poignardé au cours d'une bagarre. Il a été transporté aux urgences. J'essaie désespérément de joindre quelqu'un qui puisse me tranquilliser.

Jordan soutint le regard de Nick.

— Je viens d'avoir une infirmière. Kyle va s'en sortir.

— Dieu soit loué ! Mais pourquoi l'avoir emmené à l'hôpital ?

Le moment était venu d'improviser.

— L'infirmière a refusé de me communiquer les détails par téléphone.

Calant l'appareil entre son épaule et son menton, elle reboutonna son chemisier.

— Je te retrouve là-bas, papa. Mais tout ira bien, je te le promets.

Jordan raccrocha, anéantie.

— Je viens de mentir à mon père. De mieux en mieux…

— Tu n'as pas menti en lui disant que ton frère allait bien.

— Dis-moi ce qui se passe. Pourquoi Kyle est-il aux urgences ?

— Selon les médias – qui croient dire la vérité – Kyle a été poignardé par l'un de ses codétenus lors d'une bagarre.

Jordan ravala un sanglot.

— Et selon toi ?

— Ton frère a reçu à peine une égratignure de la part d'un agent infiltré lors d'une opération savamment orchestrée pour le sortir du centre pénitentiaire.

Elle eut un vertige.

— Attends une seconde... Kyle est de mèche avec vous ?

— Bien sûr que non. Sur ce plan, rien n'a changé. Personne ne doit être au courant tant que l'enquête sur Eckhart ne sera pas close.

— Tu aurais pu me prévenir.

— Je sais. J'ai commis une erreur. Je t'ai vue avec ce type, nous avons commencé à nous disputer et... tu connais la suite. J'ai oublié tout le reste. Pardon.

Jordan poussa un soupir, chassant les pensées troublantes qui lui venaient à l'esprit. Pour l'instant, elle n'avait qu'un objectif : s'assurer que son frère était en bonne santé.

— Il faut que j'aille à l'hôpital.

Nick soutint son regard.

— Je peux y aller avec toi ?

— Non. Mon père y sera. Il va vouloir savoir qui tu es et je ne me sens pas la force d'affronter cette conversation.

Elle-même ignorait où en était leur relation. Comment l'expliquer à son père ?

— Bien sûr, acquiesça Nick. Je comprends.

Sur ce, il s'en alla. Jordan resta debout dans l'arrière-boutique jusqu'à ce que le carillon annonce son départ. Elle s'accorda quelques instants pour se ressaisir, puis rassembla ses affaires et se rendit à l'hôpital.

22

Xander scruta l'intérieur sombre et peu engageant du bar et secoua la tête : ce n'était pas ici qu'on lui servirait un verre de vin buvable…

Il ne comprenait pas pourquoi Mercks lui avait suggéré ce lieu pour leur rendez-vous. D'un autre côté, le contenu même du message qu'il avait reçu un peu plus tôt dans la journée l'avait intrigué.

Il faut qu'on se parle. Pas à votre bureau. Taverne Lincoln, rue Roscoe, 22 heures. Motus.

D'une part, c'était bien la première fois que Mercks communiquait avec lui par SMS. D'autre part, pourquoi pas se voir comme de coutume à son bureau, qui était une véritable forteresse ?

Xander choisit une table au fond de la salle et s'y installa en espérant passer aussi inaperçu que possible. Pourvu que personne ne le reconnaisse ! Il en mourrait d'humiliation – en admettant qu'il ne soit pas déjà mort en y prenant une consommation.

— Vous n'avez pas de carte des vins ? s'enquit-il d'un ton ironique à la serveuse qui s'approchait – une quinquagénaire aux cheveux décolorés, bien différente des ravissantes créatures qu'il employait dans ses établissements. Apportez-moi un gin tonic, s'il vous plaît. Dans un verre propre…

Elle le gratifia d'un regard noir avant de tourner les talons. Xander ôta son manteau et le disposa avec soin sur le siège voisin puis il consulta sa montre. Il fronça les sourcils en constatant que Mercks était en retard. Il était relativement pressé car il voulait retourner au *Bordeaux* avant le coup de feu de 23 heures. Le jeudi soir était toujours l'un des meilleurs de la semaine et il adorait circuler parmi ses clients, savourant son succès...

Il menait une vie agréable – non, exceptionnelle. Et Jordan Rhodes serait bientôt la cerise sur le gâteau. Entre la fortune de la jeune femme, son expérience à lui et leur passion mutuelle pour le vin, ils formeraient une équipe invincible. Pourvu que Mercks ait de bonnes nouvelles de ce côté-là !

Le détective apparut enfin quelques minutes plus tard.

— Désolé. J'étais pris dans les embouteillages... Comme d'habitude, lança-t-il à la serveuse tout en posant un cartable en cuir.

— Vous venez souvent ici ? s'exclama Xander. Pourquoi ?

— Parce qu'ici, personne ne me pose de questions.

— Normal. Ils sont tous saouls, grommela Xander en indiquant un homme avachi sur le comptoir... Est-il seulement vivant, celui-là ?

— Ne vous inquiétez pas pour eux. Concentrez-vous sur la question que vous devriez me poser.

Xander grogna. Il avait horreur des devinettes.

— Laquelle ?

— Qui est Nick Stanton ?

Xander se pencha en avant, intrigué.

— Vous avez trouvé quelque chose ? J'en étais sûr ! C'est un escroc, n'est-ce pas ?

— En un sens, oui, répondit Mercks en sortant un dossier de sa serviette. Voyez vous-même.

Eckhart l'ouvrit et découvrit une photo. Au début, il eut du mal à saisir ce qu'il voyait : Nick Stanton en gilet pare-balles sur un tee-shirt à manches longues et un jean, en train de discuter avec deux flics en uniforme devant une voiture de patrouille de la police de New York. Apparemment, ils se trouvaient sur une scène de crime.

Xander dévisagea Mercks, perplexe :

— Je ne comprends pas. Stanton est flic ?

— Nick Stanton n'existe pas – c'est une fausse identité. Nick McCall, en revanche, a autrefois fait partie de la brigade des mœurs du NYPD. Il y a passé cinq années avant de reprendre ses études. Dans une petite académie à Quantico, en Virginie.

Le sang de Xander se glaça.

— Il appartient au FBI ?

— Exact.

Xander pointa l'index sur le cliché.

— Cet individu, qui a bu mon vin dans mon restaurant est un putain d'agent fédéral ?

— Oui. Nous avons eu du mal à reconstituer son passé récent – il devait être en mission d'infiltration. Mais nous savons qu'il a obtenu son diplôme il y a six ans, juste avant de s'installer à Chicago.

— Dans quel but assistait-il à ma réception ?

— J'imagine que vous le savez mieux que lui, rétorqua Mercks.

Un moment s'écoula durant lequel ni l'un ni l'autre ne prononça un mot. Xander se demanda si Mercks était au courant de ses tractations avec Martino. Il croyait avoir pris toutes les précautions nécessaires pour s'assurer que Martino demeurerait un partenaire silencieux, invisible. Sans doute y avait-il eu une fuite.

Le fait que le FBI ait envoyé un de ses membres à sa soirée en était la confirmation.

— J'ignore à quoi vous êtes mêlé, Eckhart, mais le FBI est au courant.

Xander se leva, l'esprit embrumé.

— Il faut que j'y aille.

Il s'empara de son porte-monnaie et jeta un billet sur la table.

— Ne parlez de ceci à personne, ordonna-t-il en s'éloignant de quelques pas avant de s'immobiliser brusquement. Jordan… Elle est de mèche avec eux ?

Mercks secoua la tête.

— Aucune idée. Mon adjoint chargé de filer McCall a surpris une conversation après une dispute entre elle et une autre femme. Jordan a dû employer le nom de Stanton car l'autre a paru perturbée. Ensuite, alors qu'elle laissait un message sur une boîte vocale, elle a prononcé son véritable nom. Apparemment, elles ne sont pas d'accord sur leur place dans le cœur du vrai Nick. Il est donc possible que Jordan ait été manipulée par McCall depuis le début.

— Renseignez-vous, ordonna Xander d'un ton sans appel. Je veux savoir si elle est à l'origine de ce complot contre moi.

23

Sur le chemin de l'hôpital, Jordan entendit un flash d'information sur une chaîne de radio locale. D'un ton neutre, le journaliste annonça que Kyle Rhodes, fils du milliardaire et magnat de l'informatique Grey Rhodes et cyber-terroriste notoire, avait été poignardé par un codétenu et transféré d'urgence à l'hôpital Northwestern. Selón une « source anonyme », le centre pénitentiaire avait publié un communiqué évoquant la nécessité d'assurer la sécurité de l'un de ses détenus, cible de nombreuses agressions.

À ces mots, Jordan serra les doigts autour du volant, mais se ressaisit bien vite. Nick lui avait assuré que son frère allait bien.

À son arrivée, elle abandonna sa voiture devant le poteau du voiturier. Âgé d'une vingtaine d'années, celui-ci fixa la Maserati d'un air ahuri tandis qu'elle en descendait.

— Belle bagnole !

Elle lui tendit les clés.

— Roulez doucement, lui recommanda-t-elle.

Elle se précipita à l'intérieur en essayant d'oublier sa dernière visite aux urgences, après le coup de fil affolé de son père. Lorsqu'elle en avait franchi le seuil, il était trop tard : sa mère était déjà décédée des suites d'un accident de la route.

Jordan s'approcha du comptoir de réception où une jeune hôtesse l'accueillit avec un sourire chaleureux.

— Je suis là pour mon frère, Kyle Rhodes. On l'a amené il y a environ une demi-heure.

L'hôtesse écarquilla les yeux.

— Ah ! Oui… il est passé devant moi. Difficile de le manquer, entre sa combinaison orange et les deux gardiens qui suivaient le brancard.

— Le brancard ? répéta Jordan, paniquée. Il… Il était dans quel état ?

— Il semblait furieux qu'on l'oblige à rester allongé mais hormis cela, il allait bien. Le haut de sa combinaison était rabattu et il avait un pansement au bras gauche. Je n'ai pas vu de sang, seulement le bandage et le tee-shirt blanc. Bien moulant… précisa-t-elle d'un air rêveur.

Jordan leva les yeux au ciel.

— Où est-il ?

— Pardon ? Ah ! Euh, excusez-moi, bredouilla-t-elle en tapant sur son clavier d'ordinateur. Chambre 360-A… Les ascenseurs sont au bout du couloir à gauche.

Il aurait été difficile de ne pas repérer la chambre de Kyle car deux vigiles faisaient le guet devant la porte. Jordan en reconnut un, qui n'avait de cesse de rappeler le règlement.

Il haussa un sourcil en la voyant venir.

— On commençait à s'impatienter !

Jordan s'immobilisa devant lui.

— Cela signifie-t-il que nous sommes désormais amis ?

— Autre lieu, autres règles.
— Comment va mon frère ?
— Un peu énervé. Surtout à cause du brancard. Le médecin est en train de l'examiner. Vous pouvez entrer si vous le souhaitez, conclut-il d'un ton plus aimable que de coutume.
— Merci.
Jordan crut déceler une lueur complice dans ses prunelles. Était-il au courant de son arrangement avec le FBI ? Cela expliquait-il ce brutal changement d'attitude ? Sans doute, décida-t-elle en poussant la porte.
Son frère était assis dans le lit, le haut de sa combinaison orange abaissé jusqu'à la taille, un poignet bandé, l'autre menotté à un barreau. Le médecin s'apprêtait à lui faire une piqûre.
— Un vaccin contre le tétanos ? explosa-t-il. Vous m'avez traîné jusqu'ici comme un invalide pour faire un vaccin ?
— Ignorez-le, conseilla Jordan. Il a toujours eu peur des seringues.
Kyle tourna la tête vers elle et sourit.
— Jordan !
Le médecin profita de l'occasion pour lui enfoncer l'aiguille dans l'épaule.
— Nom d'un... ! Aïe ! Ça fait bien plus mal qu'une fichue fourchette !
— Vous aurez un peu mal pendant quelques jours, décréta le médecin en lui appliquant un sparadrap imprimé de petits éléphants roses.
— Si j'ai bien compris, on t'a poignardé avec une fourchette ?
— Oui.
Jordan ravala un fou rire.
— Je vois.

— Bon, d'accord, finissons-en, concéda-t-il.

— Une fourchette normale ou à dessert ?

— Figure-toi que je n'ai pas pris la peine de la mesurer, rétorqua-t-il. Encore un coup de Puchalski !

Jordan arrondit la bouche, stupéfaite.

— Puchalski ? Le chauve au tatouage ?

C'était donc lui, l'agent infiltré ?

Inconcevable !

— Je sais – lui et moi, on s'est toujours bien entendus. Puis ce soir, on regagnait nos cellules et tout à coup, le voilà qui s'amuse à m'appeler Sawyer. Comme toujours, je l'envoie balader mais cette fois, il pète les plombs et commence à me traiter de tous les noms. Puis il sort une fourchette de sa chaussure et se jette sur moi.

Il souleva le pansement, révélant quatre trous rouges – et minuscules. Jordan étrécit les yeux.

— Je devrais voir quelque chose ?

— Très drôle, grommela Kyle en grimaçant. J'ai eu un mal de chien. Pendant au moins… deux ou trois minutes… Quoi ?

Jordan, qui avait incliné la tête et l'observait attentivement, ne répondit pas. Elle tendit les bras et eut un geste dont elle avait dû se priver depuis quatre mois. Elle étreignit son frère de toutes ses forces.

— Je suis heureuse que ce ne soit pas grave.

— Tu ne vas pas te mettre à pleurnicher, j'espère ? Tu connais la chanson.

— Autre lieu, autres règles, répliqua-t-elle du tac au tac, le regard humide. Paroles de Monsieur Ronchon.

— T'a-t-il par hasard expliqué pourquoi ils m'avaient transporté à l'hôpital ? Parce que moi, je n'y comprends rien.

Une voix s'éleva.

— Ils vous ont amené ici parce que je leur en ai donné l'ordre.

Une ravissante jeune femme aux cheveux châtains, vêtue d'un tailleur gris à fines rayures, se tenait sur le seuil. Elle s'approcha et leur serra la main.

— Cameron Lynde. Procureure fédérale.

Croisant les bras, elle contempla Kyle.

— Qu'allons-nous faire de vous maintenant, monsieur Rhodes ? Je croule sous les rapports m'informant de vos problèmes au centre pénitentiaire.

Kyle repoussa la mèche tombée sur son front d'un mouvement brusque.

— Rien que je ne puisse surmonter, se défendit-il.

— Six bagarres au cours de ces derniers mois et aujourd'hui, cette agression. Vous êtes un cas désespéré...

— Tu ne m'en as mentionné que quatre ! protesta Jordan.

— Des broutilles, insista Kyle.

La procureure parut réfléchir.

— Ça ne me plaît pas. Vu l'intérêt que les médias portent à votre cas, s'il vous arrivait malheur en prison, mon bureau en serait tenu pour responsable.

— Votre bureau ne s'est guère inquiété de mon sort lorsque j'ai été condamné.

— Sachez que les préoccupations de l'*ex*-procureur étaient très différentes des miennes. Vous avez purgé quatre mois, dans des conditions pénibles. Peut-être pourrions-nous envisager un nouvel arrangement.

— Merci, mais ça ne m'intéresse pas ! Je ne tiens pas à être muté ailleurs. J'aurai les mêmes problèmes n'importe où. Et puis, si vous m'envoyez loin de Chicago, ma sœur ne pourra plus me rendre visite.

De nouveau, Jordan faillit céder à l'émotion. Elle passa un bras autour de ses épaules.

— Il est le chewing-gum que je n'arrive pas à décoller de la semelle de ma chaussure, déclara-t-elle à Cameron Lynde.

Celle-ci s'esclaffa.

— J'ai une amie du même genre... Kyle, je ne pensais pas à un transfert mais plutôt à une détention à domicile.

La porte s'ouvrit de nouveau, cédant le passage à un homme grand et bien bâti en jean et blazer en velours côtelé. Il tenait un sac à dos. Jordan reconnut l'agent du FBI qui l'avait « accidentellement » bousculée chez Starbucks pour glisser les clés de Nick dans la poche de son manteau. Lui demeura impassible.

— Agent Pallas. Vous arrivez à point ! approuva Cameron.

— Nous sommes prêts ?

— Je m'apprêtais à expliquer à M. Rhodes le déroulement des opérations. Je vous présente l'agent spécial Jack Pallas. Il va vous équiper d'un bracelet électronique que vous conserverez autour de la cheville vingt-quatre heures sur vingt-quatre. Celui-ci contient un système GPS qui permettra à votre agent de probation de suivre tous vos déplacements. Vous pourrez travailler et serez autorisé à effectuer des sorties pré-approuvées : visite chez le médecin et autres audiences au tribunal.

— Je... De quoi parlez-vous ? J'ai encore douze mois à purger.

— Plus maintenant. Vous allez rentrer chez vous, monsieur Rhodes.

Pallas s'avança, extirpa une clé de sa poche et détacha ses menottes.

Incrédule, Kyle examina sa main libre un instant puis porta son regard sur Cameron.

— Pourquoi ?

Trois personnes dans la pièce connaissaient la véritable réponse à cette question. Toutefois, comme la procureure, Jordan demeura imperturbable.

— Parce que cela me paraît juste, monsieur Rhodes… Une chose, cependant – pour sauver les apparences, je préfère que vous passiez la nuit à l'hôpital. Et je vous serais reconnaissante de faire profil bas pendant les deux semaines à venir.

— Aucun problème. On ne peut pas dire que je cours les mondanités, ces temps-ci.

— Mettez votre jambe gauche sur la table, ordonna Pallas.

Il ouvrit le sac à dos et en sortit un bracelet noir.

— Je ne trouve pas les mots…, avoua Kyle à Cameron. Je suppose que je devrais au moins vous remercier. Je suis soulagé que l'on ait remplacé le procureur Silas Briggs par quelqu'un de plus raisonnable… et beaucoup plus jolie.

Pallas ferma le bracelet et Kyle poussa un cri de douleur.

— Espèce d'imbécile ! Vous m'avez pincé !

— Jack ! gronda Cameron d'un ton de reproche.

Il haussa les épaules.

— Je ne l'ai pas fait exprès.

Il contempla Kyle d'un air furieux.

— Du calme, Wolverine, bougonna Kyle. Rentrez vos griffes, je n'ai pas voulu vous manquer de respect.

On frappa et Monsieur Ronchon entra.

— On a un colis pour Sawyer !

Pallas alla le récupérer. C'était un sac en toile bleu marine. Il l'accrocha à la patère derrière la porte et l'ouvrit pour en inspecter le contenu.

— Des vêtements ? C'est vous qui avez pris cette initiative ? demanda Cameron à Jack.

— Ce doit être un collègue.

Il observa Jordan à la dérobée et elle comprit : Nick !

— Bien, déclara Cameron. Je suis sûre que vous avez envie d'un peu de tranquillité. Kyle, voici les coordonnées de votre agent de probation. Vous devrez l'appeler demain en rentrant chez vous. N'oubliez pas : nous vous aurons à l'œil… Et évitez le site Twitter, monsieur Rhodes. Pour notre tranquillité à tous.

Sur ce, elle disparut avec Pallas.

— Ce n'est pas une blague ? Je peux partir demain ?

Jordan haussa innocemment les épaules.

— On dirait bien que oui… Voyons ce qu'il y a dans ce sac.

Kyle se leva.

— Un jean ! annonça-t-il… Ma foi, jamais de ma vie je n'aurais imaginé être aussi ému par un bout de tissu.

Il se ressaisit et se tourna vers Jordan.

— Le FBI a pensé à tout ! Qui l'eût cru ?

Elle vint vers lui et posa la tête sur son épaule.

— Certains d'entre eux cachent bien leur jeu, murmura-t-elle.

La porte s'ouvrit une fois de plus et Grey Rhodes fit irruption dans la chambre, harassé. Il aperçut Kyle, poussa un soupir de soulagement et se pencha en avant en plaquant les mains sur ses genoux comme s'il venait de courir un marathon.

— Tu es là.

— Pas pour longtemps. À partir de demain, je suis un homme libre.

Grey pivota vers Jordan.

— Il souffre d'un traumatisme crânien ?

— Non, papa, c'est la vérité. Kyle est libéré. Et il a été poignardé avec une fourchette.

— Celle-là, je n'ai pas fini d'en entendre parler ! souffla l'intéressé en fixant le plafond.

— En effet, mon frère adoré.

— Tout va bien, Xander ? demanda Will Parsons, qui assurait une fois de plus le service, ce soir-là.

Comme de coutume, le *Bordeaux* était bondé. Xander se tenait sous l'arche séparant la salle principale du bar à vins, une position qui lui permettait de surveiller à peu près tout.

— Très bien, Will.

C'était faux. Il avait de sérieux ennuis. Il aurait dû se satisfaire d'être le restaurateur de plus réputé de la ville. Hélas, un an plus tôt, il avait cédé à l'appât du gain…

Certes, il pourrait argumenter : personne ne tournait le dos à Roberto Martino sans en subir de graves conséquences. Mais Xander n'avait pas eu besoin qu'on le pousse dans ses retranchements. Il s'était réjoui que Martino soutienne financièrement ses projets en tant que partenaire silencieux. Aujourd'hui, selon toute apparence, Xander allait payer le prix de son avidité.

— Je descends dans mon bureau. Que personne ne me dérange.

— Entendu, répondit Will.

Xander tapa le code pour accéder à l'escalier et gagna son antre en se remémorant sa réception de la Saint-Valentin, cette soirée au cours de laquelle Nick Stanton, alias l'agent spécial Nick McCall, avait infiltré le cœur de son empire.

Il se doutait de ce que McCall était venu chercher : un moyen d'entendre ses conversations avec Trilani.

S'il n'avait pas été au bord du gouffre, Xander aurait probablement admiré l'habileté du FBI. Se servir de Jordan Rhodes – à son insu ou non – pour pénétrer dans son bureau le seul jour de l'année où c'était possible exigeait une préparation rigoureuse.

Désormais, il était fichu…

Roberto Martino le tuerait. Cela ne faisait aucun doute. Il ne tolérait pas la moindre erreur, surtout lorsqu'il s'agissait d'argent. Xander s'était cru infaillible, et il avait eu tort.

Il pénétra dans la pièce et s'installa dans son fauteuil. Il était sûrement sur écoute, songea-t-il tandis qu'un étau se resserrait autour de sa poitrine. Le FBI se préparait à le confondre et Roberto Martino, tapi dans l'ombre, lui trancherait la gorge à la première alerte.

Il composa le numéro de Trilani sur son portable, sachant d'avance qu'il allait tomber sur sa boîte vocale.

— Carlo, dit-il d'une voix empreinte d'angoisse, nous ne pouvons pas nous rencontrer demain. J'ai une grippe intestinale, ce virus qui court en ce moment. Je devrais aller mieux la semaine prochaine. Disons… mardi ?

Xander raccrocha. « Vous avez bien enregistré, bande de salauds ? »

Incapable de résister à la tentation, il glissa une main sous sa table en quête d'un mouchard. Rien. Il se leva et se dirigea vers la bibliothèque. Là non plus, rien. Il s'approcha de la table basse. Peine perdue. Nick McCall était un expert.

Quant à Jordan...

Xander se rappelait avec précision la façon dont elle l'avait attiré sur la terrasse sous prétexte de lui parler d'une caisse de pétrus à vendre aux enchères. Il refusait de croire qu'elle l'avait trahi délibérément. Comment avait-il pu éprouver des sentiments pour une femme qui n'hésitait pas à le livrer aux lions ?

Que savait-elle ? Si jamais elle était de mèche avec le FBI, elle s'en mordrait les doigts.

Ça, au moins, il pouvait s'en assurer.

24

Jordan quitta l'hôpital peu après minuit et découvrit avec stupeur que le voiturier s'était volatilisé. À sa place, un panneau indiquait aux visiteurs que le service était assuré jusqu'à 23 heures. Elle aurait préféré en être informée plus tôt.

Elle retourna dans le bâtiment et monta au bureau du service clients pour récupérer sa clé en échange de son ticket.

— Le voiturier laisse les véhicules non réclamés au niveau – 2, lui annonça-t-on.

Devant les ascenseurs, elle découvrit que chaque étage portait le nom d'un chanteur connu et d'une chanson. Le niveau – 2 était dévolu à Frank Sinatra et « Chicago ». Évidemment.

Dans la cabine, elle s'adossa contre la paroi, à bout de forces.

Quelle journée ! D'abord la visite inopinée de Lisa, puis la dispute avec Nick, suivie d'un moment plus agréable et enfin, l'agression et la libération de son frère… Vivement son week-end dans la vallée de Napa !

À son immense surprise, Nick l'attendait devant sa Maserati.

Le cœur de Jordan fit un bond.

— Je ne m'attendais pas à te voir ici.

— Je m'en voulais trop. J'espère que tu me pardonneras ma maladresse… On peut parler ?

Jordan appuya sur la télécommande pour déverrouiller sa voiture et les phares se mirent à clignoter.

— Installe-toi.

Elle se glissa derrière le volant tandis que Nick prenait place sur le siège passager, ses longues jambes et sa silhouette élancée envahissant l'habitacle.

Elle mit le moteur en marche et déclencha le chauffage des sièges. Il parut à la fois amusé et ému par ce geste.

— Merci.

Jordan se tourna vers lui puis, sans un mot, se pencha pour l'embrasser. Longuement. Langoureusement.

— Ça, c'est pour avoir fait libérer mon frère.

Les yeux de Nick étincelèrent comme des émeraudes.

— Je te l'avais promis. J'ai dû faire preuve d'un peu d'imagination.

— Tu n'étais pas obligé de lui envoyer une tenue de rechange. Kyle en a été très touché.

— Nous savons tous les deux que je n'ai pas fait cela pour Kyle, murmura-t-il d'une voix rauque, en lui effleurant la joue.

Elle en avait conscience. Elle glissa ses mains dans le manteau de Nick et se serra contre lui.

— Qu'allons-nous devenir, Nick McCall ?

Nick s'était posé cette question toute la soirée. Il opta pour la franchise.

— Je n'en ai aucune idée. Tu sais que mon métier complique les choses, poursuivit-il en plongeant son regard dans le sien. Tu m'as vu à l'œuvre. Je passe d'une identité à l'autre, je m'absente des semaines, voire des mois d'affilée.

— Donc ?

— Donc... ce... ce n'est pas facile.

— J'ai compris. J'attends la suite. D'après Lisa, je devrais avoir droit à une longue diatribe. Je me sens vaguement exclue.

— Cette fois, c'est différent.

— Ah ! s'exclama-t-elle, enchantée. Tant mieux.

— N'empêche que je ne sais toujours pas où tout cela va nous mener.

Jordan s'écarta et le contempla un long moment.

— Je pars demain pour Napa où je dois passer le week-end. Tu pourrais m'y accompagner... En plus, cela rendrait ton personnage plus crédible. Nick Stanton ne laisserait jamais sa petite amie se rendre dans un endroit aussi romantique sans lui.

Ce fut au tour de Nick de rester silencieux. Cette proposition était terriblement tentante mais...

— Je ne suis pas sûr de saisir le sens de cette requête.

— Pour l'heure, je te propose de venir avec moi à Napa, c'est tout.

Un week-end entier avec elle. Dans une chambre d'hôtel. Seigneur ! Rien que d'y penser, il était en érection !

— Il faudrait être un saint pour ne pas en avoir envie.

Sentant son hésitation, elle s'appuya sur l'accoudoir en cuir.

— Je suis une grande fille, Nick. Je suis au courant de ta difficulté à envisager une relation durable. Honnêtement, ajouta-t-elle avec un sourire espiègle, je doute que cela change quoi que ce soit.

Il y a au moins cinquante pour cent de chances pour que tu m'exaspères tellement que je serai ravie de me débarrasser de toi ensuite !

Nick rit aux éclats. Il l'étreignit avec fougue.

— Et si par miracle j'échouais ?

— Nous aviserons le moment venu, murmura-t-elle.

Un sentiment étrange submergea Nick. Xander Eckhart avait eu raison sur un point : Jordan Rhodes était beaucoup trop bien pour lui. Pour n'importe qui. Il aurait beau tout lui donner, elle mériterait toujours davantage.

Il réclama ses lèvres. Inutile de se presser, elle était à lui pour deux nuits et deux jours...

— Un petit détail, dit Jordan.

— Hum ?

— Pour moi, il s'agit d'un voyage d'affaires. Tu vas devoir participer aux dégustations avec moi.

Nick gémit.

— Je me doutais bien qu'il y avait un hic.

— Tu survivras ! Au fait, il y a un truc qui me tracasse.

— Quoi ?

— Puchalski est un agent fédéral ? Sacrée couverture !

— Nous l'avons placé au sein du centre pénitentiaire il y a environ deux mois. Son codétenu est un des chefs du gang du côté sud – un homme que nous soupçonnons d'avoir commis plusieurs meurtres. Nous espérons qu'il va se mettre à bavarder, à se vanter de ses exploits.

— Comment as-tu réussi à le convaincre de poignarder mon frère ? Pauvre Puchalski ! À cause de nous, il est sûrement en cellule d'isolement.

— Les gardiens savent qui il est. Ne t'inquiète pas, ton copain « Puchalski » est en pleine forme. Il est sans doute en train de siffler des bières et de regarder la télévision en ce moment même dans la salle des gardiens.

— En tout cas, bravo pour votre habileté !

Elle eut un sourire malicieux.

— Au fond, tout ça est terriblement sexy...

« Tant mieux » songea Nick avec bonheur. Le dandy n'avait plus aucune chance.

25

Xander commençait à paniquer.

Il était pris au piège chez lui sous le prétexte qu'il souffrait d'une grippe intestinale. Certes, son appartement de quatre cents mètres carrés dans la luxueuse tour Trump International était confortable. Mais ces longues heures de solitude lui avaient donné tout le temps de réfléchir à l'énorme pierre que le FBI venait de déposer dans son jardin.

Il avait d'abord envisagé de déchiqueter tous les relevés de banque, bilans financiers et documents fiscaux relatifs au *Bordeaux* et à ses autres établissements. Puis il s'était rendu compte que cela ne servirait à rien – ses comptables, les banques et le fisc possédaient leurs propres dossiers en rapport avec ses diverses activités. De surcroît, il conservait la plupart de ces informations dans son bureau du *Bordeaux* et ne tenait pas du tout à ce que le FBI l'entende faire le ménage dans ses classeurs. À son avantage, personne hormis Mercks ne savait qu'il avait découvert le pot aux roses.

Il avait ensuite imaginé contacter les agents fédéraux et leur proposer un marché en échange de son témoignage contre Martino. Toutefois, cette solution posait un problème : il était sûr à cent pour cent que Martino tenterait de le faire abattre avant qu'il ne puisse parler et à quatre-vingt-quinze pour cent, qu'il y parviendrait, même s'il faisait l'objet d'une protection rapprochée du FBI.

Mauvaise pioche !

Pour parler franc, Xander n'avait aucune envie de mourir. Mais depuis vingt-quatre heures, il avait conscience de l'imminence de cette éventualité. Si Roberto Martino apprenait qu'il avait quasiment remis entre les mains du FBI les preuves de leurs manigances – Seigneur ! Il avait fait visiter tout le sous-sol à Nick McCall – sa mort serait extrêmement douloureuse.

À peine deux jours auparavant, il s'était cru sur le chemin de la gloire – sa préoccupation la plus grave avait été de conquérir une femme. Si seulement il pouvait revenir en arrière !

Debout dans sa cuisine, Xander fixa le grand réfrigérateur que sa gouvernante remplissait deux fois par semaine. Il lui avait donné congé pour le week-end. À ce stade, il ne faisait plus confiance à personne. Il devait se forcer à manger, malgré les spasmes d'angoisse qui lui nouaient l'estomac. Il avait besoin de toute son énergie pour réfléchir.

Son portable sonna. Plongeant une main dans la poche de son pantalon, il s'empara de son appareil.

— Mercks ! Qu'avez-vous découvert ?

— En dehors de ce qu'ils racontent à la télévision ?

La gorge de Xander s'assécha.

— Ils parlent de moi à la télé ? Le FBI a diffusé une annonce ?

— Non, il ne s'agit pas de vous, mais de Kyle Rhodes. La nouvelle fait les gros titres de tous les médias. Vous n'avez rien vu ?

Xander se dirigea vers sa bibliothèque. Comment cette histoire avait-elle pu lui échapper ? La réponse était simple : le petit écran ne l'intéressait guère – toutes ces émissions de télé-réalité et ces feuilletons interminables qui s'étiraient sur plusieurs saisons avant de se finir en eau de boudin ! Quant à la presse, il avait eu d'autres chats à fouetter ces dernières vingt-quatre heures – à savoir réfléchir à la manière de rester vivant et en liberté.

— Une seconde, je dois avoir un exemplaire du *Tribune* quelque part…

En effet, il le trouva sur le bureau, là où il l'avait jeté dans la matinée avec le reste de son courrier, sous le tout dernier numéro de *Wine Spectator*. Il l'extirpa de sous la pile et lut la Une : « Poignardé par un codétenu, le cyber-terroriste a été libéré. »

— Rhodes est libre ?

— Apparemment, il a été attaqué au centre de détention. La procureure fédérale a publié une déclaration dans laquelle elle déclare lui avoir accordé pour sa sécurité l'autorisation de purger le reste de sa peine à domicile.

— Et ceci me concerne ?

— Je ne peux pas m'empêcher de me demander si quelqu'un a payé la dette de Rhodes envers la société.

Xander eut un haut-le-cœur.

— Vous pensez que Jordan a conclu un pacte pour la libération de son frère ?

— En tout cas, c'est une hypothèse.

Xander demeura silencieux quelques instants.

— Où est-elle en ce moment ?

— Elle s'est rendue à l'aéroport ce matin en compagnie de McCall. Tennyson les a suivis à l'intérieur du terminal et les a vus s'enregistrer sur un vol pour San Francisco.

Xander connaissait bien Jordan – elle et McCall ne resteraient pas à San Francisco. Il était prêt à parier un demi-milliard de dollars qu'ils étaient en route pour la vallée de Napa.

— Bien, concéda-t-il en pinçant les lèvres. Inutile de continuer à les filer.

— Je suis conscient de vous décevoir.

— Vous avez fait votre boulot, Mercks. Ne vous inquiétez pas, vous serez payé.

Après avoir raccroché, Xander arpenta son duplex comme un lion en cage. Il se sentait si mal qu'il avait du mal à respirer. Pour la première fois depuis que Mercks avait évoqué l'intervention du FBI, un sentiment de rage le submergea.

Cette salope de Jordan Rhodes l'avait vendu !

— La garce ! hurla-t-il en lançant son téléphone contre un miroir.

La glace se brisa et des centaines d'éclats se répandirent sur le sol de marbre.

Il les contempla un moment, s'en approcha. Il ne pouvait s'en prendre qu'à lui-même. Il s'était comporté en crétin avide. Comme tant d'autres, il avait naïvement supposé que Martino et son organisation étaient intouchables, invincibles. Après tout, on était à Chicago, ville où la corruption avait toujours existé.

S'il haïssait les agents du FBI, leurs actes ne le surprenaient pas – ils n'étaient que des lâches, et pour eux, il n'était qu'un nom sur un dossier. Une cible comme une autre.

Mais Jordan, elle, le connaissait assez bien pour pouvoir le taquiner au sujet de ses vins préférés.

Pour avoir droit à une invitation à sa grande réception annuelle. Il était épris d'elle.

Xander ramassa l'écharde la plus longue, glissa un doigt le long de son bord acéré et grimaça lorsqu'il transperça sa peau. Une goutte de sang apparut, rouge cabernet, et il l'observa. Tout à coup, il avait recouvré toute sa lucidité.

26

— Je devrais prendre le relais afin que tu puisses te reposer.

Jordan quitta brièvement la route des yeux pour observer Nick à la dérobée.

— Nous sommes à dix kilomètres du complexe hôtelier. Je tiendrai le coup.

— Mais la route est très vallonnée. Tortueuse. Tu ne te sentirais pas mieux si je conduisais ?

— Je me débrouille comme une grande depuis plus de trois heures.

Nick aussi, d'ailleurs. Il avait pris plaisir à se laisser transporter par Jordan depuis l'aéroport. Il avait pu en profiter pour admirer ses longs cheveux blonds rassemblés en un chignon sophistiqué, sa jolie robe de coton blanc, son écharpe de soie élégamment enroulée autour de son cou, ses jambes interminables, galbées à souhait.

Quant aux collines jonchées de fleurs roses et blanches qui les entouraient, elles n'étaient pas mal non plus, se dit-il en regardant par la fenêtre.

— Mais peut-être est-ce moi qui serais plus à l'aise, insista-t-il puisque, de toute évidence, elle n'avait pas capté son subtil message.

Jordan s'arrêta à l'entrée de la bretelle d'autoroute qui devait les mener vers le canyon et se tourna vers lui.

— D'accord. Qu'est-ce qui te tracasse ?

— Nous ne sommes pas censés nous faire remarquer, rappelle-toi. Nous sommes toujours en mission d'infiltration. Dans les établissements de ce genre, on est habitué à voir l'homme au volant. Les gens vont penser que je suis ton assistant ou quelque chose du genre...

Elle pointa un index sur lui.

— Alors ça, ce serait amusant ! Si on essayait, pour changer ? Je serai ta patronne et tu seras obligé de m'appeler Mlle Rhodes pendant tout le week-end.

— Pas question !

— Je te fournirai même un petit carnet et tu me suivras en notant les commentaires que je te dicterai. De surcroît, je t'enverrai à des kilomètres chez Starbucks me chercher un *latte* et je t'y renverrai trois fois jusqu'à ce que tu me rapportes exactement ce que j'ai commandé. Parce que c'est ainsi que se comportent les femmes riches.

— Tu plaisantes ?

— Bien sûr ! Sans quoi, je serais obligée de prendre ta remarque sexiste au sérieux. Or je suis d'excellente humeur, je n'ai aucune envie de te faire un sermon sur l'évolution de la condition de la femme depuis les années 1950.

— À ce propos, t'a-t-on déjà dit que tu ressemblais à Grace Kelly ?

Jordan se décontracta, lissa sa chevelure.

— Mon grand-père me le répétait souvent. Tu cherches à dévier la conversation, n'est-ce pas ?

— Absolument. J'aime autant te prévenir – il m'arrive parfois de retomber à l'ère de l'homme de Cro-Magnon. Une époque révolue, bien sûr…

Jordan ouvrit la bouche pour riposter, mais s'abstint et leva les bras en l'air.

— Comment t'y prends-tu ? Tu me pousses à bout et tu espères t'en sortir avec des flagorneries !

Nick afficha un sourire.

— Ah ! Je t'avais mise en garde dès le début.

Jordan se concentra sur la route en secouant la tête.

— J'ai dû commettre une grosse bêtise dans une vie antérieure. Ceci est ma pénitence.

Il s'esclaffa.

— Avoue-le : tu adores ça.

— Justement, c'est ma punition : ma descente aux enfers, lente mais inexorable.

Voyant qu'elle se retenait de sourire, Nick se pencha vers elle et l'embrassa sur la joue.

— Tu es adorable !

Au fur et à mesure qu'ils avançaient, la forêt s'épaissit et Nick commença à s'interroger sur ce complexe hôtelier où elle l'emmenait. Au détour d'un virage, elle bifurqua vers une route à voie unique menant à un pont étroit.

— Comment s'appelle le lieu où nous descendons ?

Comme il lui posait cette question, Nick prit conscience que depuis leur atterrissage à San Francisco, c'est elle qui menait le jeu. Et l'agent du FBI et le Cro-Magnon en lui en éprouvaient un certain malaise. En général, c'était lui qui dirigeait tout – quelles que soient les circonstances.

Jetant un coup d'œil vers Jordan, il décida de se laisser aller. Autant profiter des quelques minutes de trajet qu'il leur restait pour… admirer la vue.

— Le *Ranch de Calistoga*, lui répondit-elle.
— C'est à l'écart de tout, constata-t-il.
— Pour une ambiance rustique, proche de la nature.
Ils atteignirent une clairière et ce qui semblait être le chalet principal. Plusieurs voitures étaient garées le long de l'allée devant eux et Nick fit un calcul rapide : deux Mercedes, une Porsche 911, une BMW 6 Série, une Aston Martin.
Il haussa un sourcil tandis que Jordan arrêtait leur véhicule de location derrière l'Aston Martin.
— Une ambiance rustique ? se moqua Nick.
— Disons… rustique de luxe, convint-elle.
Elle ouvrit sa portière et descendit, sa silhouette élancée perchée sur des talons aiguilles, ses cheveux brillant sous le soleil californien. Ici, elle était dans son élément.
— Bienvenue, mademoiselle Rhodes ! s'exclama le voiturier en lui prenant ses clés. Avez-vous fait bon voyage ?
— Excellent, merci.
— Je charge vos bagages à bord de la golfette pendant que vous remplissez votre fiche.
Nick rejoignit Jordan et lui prit la main.
— Une golfette ?
— La circulation automobile est interdite au sein du domaine. On se déplace en voiture électrique.
— Les riches ne savent donc pas marcher ?
— Notre chambre est à deux kilomètres d'ici. Dans une montée, précisa-t-elle en le serrant contre elle. Je sais que c'est beaucoup te demander, mon chou, mais tâche d'avoir l'air joyeux. Tu auras peut-être la surprise de te sentir bien ici.
Nick scruta les alentours et commença par se féliciter : heureusement qu'il n'avait pas pris de

vacances depuis un bon moment, parce qu'il allait avoir besoin d'argent pour rembourser sa part des frais. Si Jordan s'imaginait qu'il allait la laisser payer la note, elle se trompait. Là d'où il venait, les hommes ne se faisaient pas entretenir par leur petite amie. Si fortunée soit-elle.

Petite amie !

Sa paupière gauche se mit à tressauter. Jordan l'interrogea du regard.

— Tout va bien ?

— Les pollens, éluda-t-il en se frottant l'œil.

Ils pénétrèrent dans un vaste hall où ils furent accueillis par une hôtesse. Celle-ci reconnut aussitôt Jordan, confirma sa réservation d'un bungalow et lui remit un trousseau de clés. Apparemment, ici, on se passait aussi de cartes magnétiques.

Quelques minutes plus tard, ils grimpaient à bord de la golfette et s'aventuraient le long d'une route pavée flanquée d'un côté par une falaise arborée et de l'autre, par un lac. En chemin, ils passèrent devant plusieurs chalets bien espacés les uns des autres pour plus d'intimité.

Derrière ses lunettes noires, Nick examina le voiturier au volant. Âgé de vingt-trois ans tout au plus, blond et bronzé, il aurait joué à la perfection le rôle de maître-nageur sauveteur juché sur une chaise haute au bord d'une plage. Au lieu de quoi, il parlait à Jordan d'un vignoble qu'il avait découvert récemment.

Au bout d'un moment, il s'arrêta devant une allée en pente.

— Vous connaissez la chanson, Jordan. À partir d'ici, vous devez continuer à pied. Je m'occupe des bagages.

— Je m'en occupe ! intervint Nick.

Il lui donna un pourboire et lui coula un regard noir. Jordan l'observa d'un air amusé mais ne dit rien. Parvenus devant leur bungalow, elle déverrouilla un portail et ils franchirent un grand patio couvert, équipé d'un barbecue et d'une terrasse dominant le canyon.

À l'aide de la deuxième clé, elle ouvrit la porte en verre donnant sur un salon avec une cheminée en marbre et un home cinéma.

— Ainsi vivent les riches rustiques ! commenta Nick en posant les valises.

Par les baies vitrées, il aperçut la chambre, un espace totalement séparé de l'autre côté du patio. Il ressortit, traversa la terrasse et poussa la porte. Meubles en bois de cerisier, lit croulant sous des coussins moelleux, salle de bains adjacente en pierre et en granit comprenant deux lavabos, une baignoire gigantesque et une cabine de douche… Et, cerise sur le gâteau, une porte-fenêtre s'ouvrait sur une douche privée extérieure.

— Alors ? Cela te convient-il ? s'enquit Jordan, sur le seuil.

Nick pivota vers elle, vaguement gêné d'avoir été pris en flagrant délit. Haussant les épaules, il s'efforça d'adopter un ton nonchalant.

— Bien sûr ! C'est juste que je n'ai jamais connu une personne capable de s'offrir tout ce luxe.

Il se pencha pour détacher l'étui de son mollet. Il le posa avec son portefeuille sur l'une des tables de nuit.

Jordan désigna l'arme.

— Et moi, je n'ai jamais connu une personne qui portait un machin pareil attaché à son mollet. Nous sommes donc deux face à la nouveauté.

Nick se redressa, prenant tout à coup conscience de la situation. Lui, un modeste agent du FBI originaire de Brooklyn, s'apprêtait à passer un week-end au pays du vin avec l'héritière d'un demi-milliard de dollars.

Il se dirigea vers elle.

— À quoi jouons-nous ?

Elle esquissa un sourire, comme si elle s'était elle-même posé cette question.

— Je n'en ai pas la moindre idée.

Nick la contempla longuement et Jordan ne bougea pas.

Sans un mot, il tendit la main et dénoua ses cheveux. Les vagues blondes cascadèrent sur ses épaules. Il se rapprocha.

— Que font les femmes riches dans la vallée de Napa ?

Elle soutint son regard.

— Là tout de suite ? Sans doute la même chose que les agents du FBI originaires de Brooklyn…

Au regard de Nick lorsqu'il la souleva dans ses bras et la déposa sur le lit, Jordan comprit que le temps des plaisanteries était fini.

Maintenant solidement ses mains, il se pencha sur elle et réclama ses lèvres en un baiser ardent, exigeant. Elle s'abandonna à cette étreinte sans protester et s'arqua vers lui. Il se mit à lui caresser les seins puis soudain, agrippa le col en V de sa robe et en écarta les pans.

— Tu es bien impatient, souffla-t-elle.

— C'est ta faute, répliqua-t-il d'une voix rauque. Je rêve de te voir nue depuis la première fois que je t'ai vue déguster du vin.

Il effleura ses lèvres avec son pouce.

— J'ai imaginé toutes sortes de choses, ajouta-t-il.

Jordan lécha le bout de son doigt et vit son regard s'enflammer. Il enleva sa robe, son écharpe, et les jeta au sol. Puis il s'écarta pour la contempler.

En d'autres circonstances, elle se serait sentie empruntée, en petite culotte et soutien-gorge dans une pièce inondée de soleil. Au contraire, quand Nick glissa une main vers son bas-ventre, les yeux brûlants de désir, elle éprouva un élan d'audace.

— À ton tour, murmura-t-elle en entreprenant de déboutonner sa chemise.

Une fois débarrassé, il ôta son tee-shirt blanc puis s'agenouilla au-dessus d'elle, torse nu, superbe – sa poitrine, ses bras et son ventre étaient sculptés comme ceux d'un dieu romain.

Il était magnifique ! Parfait. Jordan s'était plus ou moins doutée de ce que Nick dissimulait sous ses vêtements, mais elle ne s'était pas attendue à une telle perfection.

— Et le reste ? susurra-t-elle.

— Si tu insistes…

Avec un sourire diabolique, il se leva et se posta au bout du lit. Il enleva ses chaussures puis, sans la moindre hésitation, retira son jean, son caleçon, ses chaussettes. Il se présenta à elle, parfaitement à l'aise.

Hissée sur un coude, Jordan savoura le spectacle et écarquilla les yeux à la vue de son érection.

— Alors ? ça te convient ? la taquina-t-il en reprenant ses propres mots.

D'un mouvement du doigt, elle l'invita à la rejoindre.

Les yeux étincelants, Nick l'enlaça et dégrafa son soutien-gorge.

— Ah ! J'aime mieux ça…

Jordan eut un frisson.

— Nick…

Leurs bouches se rencontrèrent et elle soupira de plaisir quand il prit son mamelon entre ses lèvres. Puis, doucement, il lui écarta ses cuisses et se pressa contre elle.

Jordan gémit et, instinctivement, se lova contre lui, s'agrippant à ses cheveux et soulevant ses hanches pendant qu'il lui enlevait sa culotte.

— Je devrais aller plus lentement.

— Pas question, Brooklyn !

Il sourit.

— Cette fois, c'est moi qui décide… J'aime contempler ton visage quand je te touche. J'ai envie de te faire jouir avec mes doigts.

Mais Jordan n'était pas d'accord.

— Mets-toi sur le dos ! ordonna-t-elle.

Elle vit une lueur briller dans ses prunelles : apparemment, cette idée le séduisait.

La prenant par les hanches, il les fit rouler d'un mouvement preste. Elle l'enfourcha, positionnant son membre entre ses jambes, peau contre peau. Il émit un soupir.

Lorsqu'elle réclama ses lèvres, il ferma les yeux. Elle l'embrassa dans le cou, sur la gorge, sur sa poitrine. La laisser prendre le contrôle de la situation l'avait amusé trente secondes auparavant mais à présent, il n'était pas sûr de pouvoir…

Seigneur ! Elle poursuivait son exploration, de plus en plus bas, prit son sexe dans sa main, titilla son gland du bout de la langue. Elle prenait tout son temps et il se rendit compte qu'elle le dégustait, comme un bon vin.

— Jordan, prends-moi dans ta bouche, la supplia-t-il.

Avec un sourire faussement timoré, elle s'exécuta.

Incapable de résister, il la regarda un long moment en se délectant de cette exquise torture.

— Jordan…

Percevant son émoi, elle se redressa.

— Tu es prête ?

— Oh, oui !

Nick s'empara du portefeuille sur la table de nuit et en sortit un préservatif. Après l'avoir déballé et placé sur le bout de son sexe, il lui prit la main pour qu'elle le déroule.

Il l'embrassa tandis qu'elle s'abaissait sur lui, capturant sa plainte. Quand il fut complètement en elle, il murmura :

— Approche-toi. Je veux un de ces seins splendides dans ma bouche…

Retenant son souffle, elle obéit, et ils donnèrent libre cours à la passion qui les animait. S'envolant ensemble vers le septième ciel, ils atteignirent l'extase dans un même cri.

Comblée, Jordan se laissa tomber sur lui et ils restèrent ainsi de longues minutes, immobiles et silencieux.

Soudain, Jordan releva la tête.

— Ça va ?

— Oui. Je me disais que je n'avais jamais connu un tel…

Il se tut par peur d'être maladroit.

Mais Jordan l'observait avec tendresse. Elle avait compris.

— Moi non plus, avoua-t-elle tout bas.

27

À travers le pare-brise, Jordan examina le lourd portail en fer forgé qui se dressait devant eux. Il était surmonté d'un blason en marbre gravé d'un « B » alambiqué, symbole du Domaine de Barrasford.

Nick était assis à côté d'elle sur la banquette arrière.

— Personne ne répond. Dommage. Il ne nous reste plus qu'à regagner l'hôtel.

Il claqua des doigts. Zut !

— On dirait que le chauffeur discute avec quelqu'un par l'interphone. Tiens ! Les grilles s'ouvrent. Tu vois, je t'avais bien dit que nous étions attendus ! répondit Jordan en lui donnant un petit coup de coude dans les côtes.

— Je suis très excité. Vraiment. Combien de temps devons-nous rester ?

Jordan lui jeta un regard sévère.

— Nous allons déguster du vin, Nick. Ce n'est pas ce que j'appellerais un supplice.

— Tout ce qui m'empêche d'être seul avec toi est un supplice, Rhodes.

Elle secoua la tête.

— Cette fois, ça ne marchera pas… Derrière ce portail se cache ce que les rumeurs décrivent comme l'un des meilleurs cabernets de Napa et de Sonoma. J'adore le cabernet. Je suis dans la vallée depuis – elle vérifia sa montre – deux heures et trente-huit minutes et je n'ai pas encore bu une goutte de vin. Comprends-moi bien, j'aime beaucoup faire l'amour mais pour l'instant, nous allons entrer et goûter cette merveille…

— Et si je refuse ?

— Je te le déconseille formellement.

Nick fut dehors en un éclair.

Amusée, Jordan le suivit des yeux tandis qu'il contournait le véhicule pour lui ouvrir la portière et lui tendait la main en véritable gentleman.

— Mademoiselle Rhodes…

— Monsieur Stanton…

« Vivement qu'il redevienne Nick McCall ! » songea-t-elle.

Leur chauffeur les salua d'un signe de tête tandis qu'ils franchissaient l'entrée.

— Profitez bien de votre visite.

Jordan et Nick avaient rendez-vous en fin d'après-midi pour leur dernière visite de la journée.

— Nous en avons pour un peu plus d'une heure.

— Prenez votre temps, répliqua le chauffeur avec le sourire décontracté d'un homme généreusement payé à l'heure.

Bras dessus, bras dessous, Nick et Jordan traversèrent une magnifique cour de style méditerranéen au milieu de laquelle trônait une fontaine.

— Dis-moi ce que je dois savoir, murmura Nick.

— L'entreprise vient de démarrer. Leur première cuvée sera mise en vente le mois prochain. C'est un petit vignoble d'environ seize hectares. Ils ne produisent que du cabernet sauvignon. Ils espèrent rivaliser avec les domaines les plus réputés et à cent dollars seulement la bouteille, ils devraient réussir.

— Cent dollars seulement ?

— Pour les grands cabernets, c'est un prix convenable. Si je peux les convaincre de baisser leur tarif de gros, j'ai l'intention de présenter ce vin à ma dégustation du mois de mai. À condition qu'il me plaise.

Au bout de la cour, ils atteignirent une gigantesque porte en chêne qui menait au bâtiment de deux étages.

Une jeune trentenaire en tailleur les accueillit avec chaleur.

— Bienvenue au Domaine de Barrasford, mademoiselle Rhodes.

Jordan lui sourit et lui serra la main.

— Appelez-moi Jordan. Je vous présente Nick Stanton.

— Enchantée. Je suis Claire. Suivez-moi.

Ils échangèrent quelques banalités d'usage, Claire les interrogeant sur leur voyage tout en les guidant à travers un chai impeccable et moderne. Nick poussa une exclamation devant les énormes cuves de fermentation en inox et les fûts en chêne importés de France.

— Je comprends mieux pourquoi vos portes sont si larges.

— L'installation a été une véritable aventure, dit Claire.

La visite fut plus courte que dans la plupart des autres vignobles que Jordan avait visités et elle s'en étonna.

— Nous travaillons différemment, ici, expliqua Claire. Nous souhaitons que les gens puissent voir le processus de vinification au fur et à mesure. Vous allez pouvoir visionner un court documentaire, qui décrit les différentes étapes, des vendanges jusqu'à la mise en bouteille.

Elle les entraîna dans une vaste salle de conférence dont un pan entièrement vitré surplombait la vallée. Claire les invita à s'asseoir autour d'une table et ouvrit une bouteille.

— Voici le cabernet que nous comptons lancer au mois de mai. Les raisins ont été récoltés il y a deux ans et demi, puis le vin a vieilli pendant dix-huit mois dans des fûts en chêne.

Elle remplit deux verres, en tendit un à chacun.

— Savourez-le en regardant le film. Je reviens dans un quart d'heure et c'est avec plaisir que je répondrai à toutes vos questions.

Après le départ de Claire, Jordan fit tournoyer le vin dans son verre pour en libérer tous les arômes.

— C'est beaucoup plus solennel que je ne l'avais imaginé. Cela se passe toujours ainsi ? lui demanda Nick.

— Ça dépend. Parfois on a droit à un tour dans les chais, parfois on se rend jusque dans les vignes. Ailleurs, on s'assied et on boit.

Elle goûta.

— Hum ! s'extasia-t-elle, tandis que les lumières s'éteignaient et qu'un écran se déroulait devant eux.

Comme promis, Claire revint à la fin du film. Jordan lui avait expliqué qui elle était lorsqu'elle avait pris le rendez-vous et les propriétaires savaient qu'elle était là pour affaires.

— Je trouve votre vin excellent et j'aimerais le proposer aux membres de mon club de dégustation. Je le trouve un peu cher, mais j'espère que nous pourrons nous entendre vu la quantité de caisses que je compte vous commander, déclara Jordan.

— Je ne suis malheureusement pas autorisée à négocier les prix, s'excusa Claire.

— Bien entendu, rétorqua Jordan en lui présentant sa carte de visite. Voici mes coordonnées, si vous voulez bien les transmettre à votre directrice des ventes. Dites-lui que mon club de dégustation compte plus de huit cents membres auxquels je recommanderai votre vin. Qui est votre distributeur dans la région de Chicago ?

La loi lui interdisait de traiter directement avec le vignoble mais si Barrasford passait par l'un de ses distributeurs habituels, Jordan n'aurait aucun problème à conclure la transaction.

— Il me semble que c'est la société *Vins et spiritueux du Middle West*.

Jordan opina.

— Je travaille régulièrement avec eux… J'aimerais finaliser mes choix pendant ce voyage, aussi j'apprécierais que votre directrice des ventes me contacte avant le week-end.

Quelques minutes plus tard, Nick et Jordan s'installaient à une table, sur la terrasse. Plusieurs autres groupes, des couples pour la plupart, occupaient les tables avoisinantes et l'atmosphère était accueillante.

— Tu es dure en affaires, fit remarquer Nick.

— J'ai proposé un arrangement satisfaisant pour toutes les parties, éluda Jordan.

— Tu crois que la directrice des ventes va te joindre d'ici à lundi ?

— D'après moi, elle viendra me trouver avant que nous ne partions d'ici.

Nick l'examina derrière ses lunettes de soleil.

— Tu es bien sûre de toi. Je suppose que nous allons bientôt découvrir si tu as tort ou raison.

Claire reparut avec un plateau chargé de six verres de vin et d'un panier rempli de craquelins.

— Je vous ai apporté un autre cabernet, annonça-t-elle en plaçant les deux plus grands verres devant eux. Pour comparer, j'ai pensé que cela vous intéresserait de déguster la cuvée de l'année prochaine... Après les vendanges et la fermentation, nous faisons venir un professionnel depuis la France – le célèbre Philippe Fournier. Nous lui soumettons des échantillons de nos vingt-huit parcelles de vignes. Pendant trois jours, il goûte le vin et nous suggère des assemblages en accord avec la personnalité de notre maison et le goût du public.

Elle ébaucha un sourire.

— Ensuite, tout le monde boit et s'amuse pendant quarante-huit heures avant de se remettre au travail... Bien ! ajouta-t-elle en croisant les mains. Avez-vous des questions ?

— Pas pour le moment, merci, répondit Jordan.

Lorsqu'ils furent de nouveau seuls, Nick lui souffla tout bas :

— Question à cent dollars la bouteille : est-ce que tout cela change quoi que ce soit ?

— Si les clients apprécient le vin suffisamment pour accepter de dépenser cent dollars, la réponse est oui.

Il parut sceptique.

— Il ne s'agit pas d'une boisson parmi d'autres, Nick. Chaque verre de vin est une expérience en soi. Il faut l'aborder comme tu aborderais, par exemple, une nouvelle relation.

— Pardon ?

Jordan souleva son verre.

— Je m'explique. Tu commences par observer pour te faire une première impression. Tu te poses les questions suivantes : « Ce vin me paraît-il bon ? Ai-je envie de le découvrir ? » Ensuite, tu te rapproches, tu le humes pour en distinguer les arômes ; si le vin te plaît, ton corps réagit instinctivement, il se met à vibrer, t'encourage à aller plus loin. Tu le laisses te taquiner, t'aspirer, te séduire… À ce stade, tu as très envie de le savourer mais tu te retiens, histoire de faire durer le plaisir. Enfin, quand tu ne peux plus résister à la tentation, tu le goûtes. Tu t'abandonnes aux sensations qu'il te procure, aux saveurs, aux parfums. Tu en reprends une gorgée. Puis une autre, jusqu'à ce qu'une sensation d'euphorie t'envahisse…

Nick demeura impassible mais lorsque Claire passa près de leur table, il l'interpella.

— Je pense que nous allons avoir besoin d'une deuxième tournée.

— Avec plaisir !

Comme la jeune femme s'éloignait, Nick ôta ses lunettes et les posa devant lui. Il s'empara de son verre et l'inclina vers Jordan.

— Très bien, Rhodes. Pour toi, je veux bien essayer.

Il fit tournoyer son vin, le huma en digne professionnel, en prit une bonne gorgée.

Il ferma les yeux un instant comme s'il réfléchissait, les rouvrit :

— Griotte. Et réglisse.

Le visage de Jordan s'éclaira.

— Je savais que tu avais cela en toi !

Une femme s'arrêta auprès d'eux et se présenta.

— Bonjour, Jordan. Je suis Denise, la directrice des ventes. Claire m'a signalé que vous envisagiez de présenter notre vin aux membres de votre club de dégustation. Je reviens tout de suite avec un stylo afin que nous puissions mettre cela noir sur blanc.

Nick hocha la tête, impressionné.

— Félicitations.

Jordan eut un sourire satisfait.

— Je te l'avais bien dit, Nick, murmura-t-elle. Je connais mon métier.

Nick prit Jordan dans ses bras dès qu'ils furent de retour dans leur bungalow. Un flot d'excitation – et de bonheur – la submergea lorsqu'il pencha la tête pour l'embrasser. Elle n'avait pas été insensible à la manière dont il l'avait observée pendant tout le trajet et savait ce qu'il voulait. En d'autres circonstances, elle lui aurait proposé de prendre un apéritif sur la terrasse en contemplant le coucher du soleil, mais elle était prête à passer directement à la suite ... s'il l'était aussi.

— Et maintenant ? chuchota-t-il en dévorant son cou de tendres baisers.

Jordan ferma les yeux en songeant qu'elle n'aurait aucun mal à s'habituer à la présence de Nick lors de ses futurs voyages d'affaires.

— J'ai pensé qu'on pouvait commander un repas au « room service » et le déguster sur le patio.

— Excellente idée, approuva-t-il, tout en déboutonnant d'un geste lent et délibéré le haut de son chemisier. Mais nous avons une bonne heure à tuer avant cela...

— Exact. J'envisageais de prendre un bain et de me détendre.

La main de Nick s'immobilisa.

— Ah bon ?

— Je me disais que tu pourrais m'accompagner.

Il pencha la tête.

— Les bains, ce n'est pas vraiment mon truc… mais il reste la douche extérieure, se rattrapa-t-il, une lueur espiègle dans les prunelles.

— À ta guise. Mais si tu changes d'avis, tu sais où me trouver.

Elle s'écarta et se dirigea vers le bar, où elle se versa un verre de la bouteille de barrasford à moitié pleine qu'ils avaient rapportée. Sentant le regard de Nick sur elle, elle traversa le patio jusqu'à la chambre. En fredonnant, elle pénétra dans la salle de bains pour remplir la baignoire. Elle posa le verre sur le rebord en marbre, ajusta la température de l'eau et y versa une dose de gel moussant. Puis elle regagna la chambre d'où elle pouvait apercevoir Nick dans le salon. Vautré sur le canapé, la télécommande à la main, il regardait un match de base-ball.

Elle leva les yeux au ciel.

Ah ! Les hommes !

Il leva la tête, la vit. Elle lui tourna le dos et continua à s'affairer, mine de rien. Debout devant la baie vitrée, elle abaissa la fermeture éclair de sa robe et laissa l'étoffe tomber à ses pieds.

Elle la repoussa du bout de l'orteil avant de dégrafer son soutien-gorge en prenant tout son temps. Puis elle retourna dans la salle de bains, en string et talons hauts.

Après avoir remonté ses cheveux, elle acheva de se déshabiller et se glissa dans l'eau fumante. Elle reprit son verre de vin, cala sa nuque sur le rebord et commença à compter jusqu'à dix.

Elle en était à six lorsqu'il surgit.

— Tu ne m'avais pas précisé qu'il y aurait des bulles, marmonna-t-il, sourcils froncés, depuis le seuil.

Jordan réprima un sourire.

— Agent McCall... quelle surprise de vous voir ici ! Auriez-vous changé d'avis, par hasard ?

— Je réfléchis...

Les yeux rivés sur elle, il s'avança, tenant à la main la bouteille et un verre. Sans un mot, il les posa, se pencha pour détacher son harnais et le plaça sur le comptoir. Puis il sortit un préservatif de sa poche et le jeta auprès de la bouteille.

Jordan tourna le robinet du bout du pied. Le regard de Nick s'attarda sur ses seins à peine visibles sous la mousse. Il se dévêtit en toute hâte. La gorge sèche, Jordan but une gorgée de vin tandis qu'il entrait dans l'eau. Il la saisit par la cheville et la positionna à califourchon sur ses cuisses. Leurs bouches se rencontrèrent en un baiser langoureux et Jordan laissa échapper un gémissement de plaisir. Son émoi était tel qu'elle faillit renverser son verre mais Nick le rattrapa juste à temps.

— Voilà qui me donne une idée, murmura-t-il.

Il le pressa contre son sein gauche. Jordan retint son souffle.

— Attention ! C'est... un très bon vin.

— Justement.

Il inclina le verre et un filet de liquide rouge coula jusqu'à son mamelon.

— À moi de te montrer comment je déguste *mon* vin, chuchota-t-il en pinçant son mamelon avec ses dents... Oh, Jordan ! Tu n'imagines pas combien j'ai envie d'être en toi sans rien qui nous sépare.

Il la repoussa délicatement.

— Assieds-toi sur le rebord.

— Je n'ai pas l'habitude de recevoir des ordres dans mon bain, agent McCall.

— Tant mieux, riposta-t-il d'un ton possessif qui l'excita.

Elle s'exécuta.

— Écarte tes jambes.

— Et si je refuse ?

— Tu n'oseras pas.

Il avait raison.

Le corps vibrant d'anticipation, elle lui obéit.

Nick s'agenouilla, le regard brûlant, le sexe durci. Jordan ravala sa salive. Il ramassa de nouveau le verre et versa quelques gouttes de vin dans son nombril.

— Penche-toi en arrière.

Quand sa langue se mit à taquiner l'intérieur de ses cuisses, elle fondit littéralement. Jamais de sa vie elle ne s'était sentie à la fois aussi vulnérable et sexy. Elle était sur le point de jouir quand soudain, il s'arrêta.

— Non ! protesta-t-elle.

— Je vais exploser si je ne te pénètre pas tout de suite. Retourne-toi, commanda-t-il en saisissant le préservatif sur le comptoir.

Jordan n'était pas certaine d'apprécier son attitude dominatrice, et elle ne manquerait pas de le lui faire savoir. Mais pas maintenant. Plus tard. Beaucoup plus tard…

Elle se laissa glisser dans l'eau et lui jeta un coup d'œil.

— Comme ça ?

— Oui, comme ça.

Elle eut tout juste la force de lui lancer une dernière pique.

— Qui mène la barque, à présent

Paupières closes, elle geignit tandis qu'il la pénétrait délicatement par-derrière. Il l'embrassa dans le cou.

— Moi. Et tu adores cela.

28

Le lendemain, Nick se retrouva une fois de plus sur une route sinueuse menant à un nouveau vignoble. Jordan lui avait annoncé qu'ils se rendaient au Domaine de Kuleto dont il n'avait bien entendu jamais entendu parler. Il avait protesté comme à son habitude mais plus pour la forme que pour le fond. D'accord, il continuait à préférer un bon bourbon, mais le vin n'était pas désagréable en certaines circonstances.

L'image de Jordan en train de gémir de plaisir dans la baignoire lui revint à l'esprit, et il eut une violente envie de la posséder de nouveau. Il jeta un regard à la jeune femme, assise à ses côtés sur la banquette arrière de la limousine qu'elle avait louée pour la journée. Toutefois, la contempler ne résoudrait pas son problème, bien au contraire. Elle était tirée à quatre épingles et il n'avait qu'une idée en tête : la déshabiller.

— Combien de temps cette visite va-t-elle durer ? s'enquit-il.

— Longtemps. Nous déjeunons sur place.

Il poussa un soupir qui parut amuser Jordan. Malheureusement, son sourire était contagieux.

Dommage, car il avait prévu de bougonner pendant au moins cinq minutes…

Nick s'aperçut alors que la route devenait plus étroite au fur et à mesure qu'elle s'enroulait autour de la montagne. Comme ils longeaient une falaise abrupte, Jordan s'agrippa à son siège. Nick posa une main rassurante sur la sienne.

— Ça va ?

— Je déteste cette partie du trajet.

— Alors pourquoi l'effectuons-nous ?

— Tu verras en arrivant.

Vingt minutes plus tard, la voiture s'immobilisait au sommet. Le chauffeur en descendit et vint ouvrir la portière de Jordan.

— Je prends le panier dans le coffre et je vous l'apporte, mademoiselle Rhodes. Je leur demanderai de le mettre au frais.

Nick emboîta le pas à Jordan.

— Quel panier ? demanda-t-il, alerté.

— J'ai demandé à l'hôtel qu'on nous prépare un pique-nique, expliqua-t-elle. Après la dégustation, nous pourrons nous installer… n'importe où pour manger.

Elle désigna les alentours et Nick prit conscience pour la première fois de l'endroit où ils se trouvaient. S'il n'était pas du genre à s'extasier face à un paysage, il dut convenir que celui-ci était particulièrement spectaculaire. Les bâtiments surplombaient des hectares de vignes vert émeraude, la vallée et un lac étincelant tout au fond. Au bout de l'allée se dressait une villa de style toscan entourée de fleurs, de jardins et d'arbres centenaires.

— Alors, qu'en dis-tu ? demanda Jordan.

Tout en s'imprégnant de la beauté du site, Nick songea qu'il n'avait jamais eu droit à ce genre de surprise. En fait, avant Jordan, aucune femme n'avait su l'étonner, car il leur en donnait rarement l'occasion. Et pourtant, voilà qu'il se tenait sur la crête d'une montagne, dans la vallée de Napa, auprès d'une femme qui avait le don de le déstabiliser. Il aurait pu s'en offusquer mais elle se débrouillait toujours pour le faire rire.

Il plaça les mains sur sa taille et l'attira vers lui.

— Je passe un week-end fabuleux, déclara-t-il en la regardant droit dans les yeux. Mais j'espère que tu sais que je n'ai pas besoin de tout cela. Si je suis ici, c'est pour toi – pas pour les complexes hôteliers luxueux, les dîners aux chandelles et les pique-niques en pleine nature.

Avec un sourire, elle lui caressa la joue.

— Je sais. C'est d'autant plus agréable.

Une voix s'éleva derrière eux.

— Jordan Rhodes !

Pivotant sur lui-même, Nick vit un homme aux cheveux châtains s'avancer vers eux.

— Mike ! Quel plaisir de vous revoir.

— Toujours aussi belle, ma chère ! J'ai vu votre nom sur la liste de mes rendez-vous. Ainsi, vous êtes accompagnée ? Il était temps !

Il serra chaleureusement la main de Nick.

— Vous devez être l'heureux élu ? Enchanté…

— Nick Stanton.

Mike désigna la villa.

— Venez. Nous avons pas mal de monde aujourd'hui, mais je pense que nous trouverons de la place au bar.

Ils le suivirent à l'intérieur du bâtiment jusqu'à une pièce accueillante, bourdonnante de conversations. Les clients étaient installés autour d'une longue table de banquet, et des guéridons étaient disposés le long des murs et autour d'un bar d'angle. Un labrador noir circulait entre eux, enchanté de récupérer ici un bout de fromage, là un reste de craquelin.

Nick et Jordan prirent les deux dernières places disponibles au bar et Mike glissa deux verres vides devant eux.

— Par quoi voulez-vous commencer ?

Nick réfléchit.

— Avez-vous du rosé ?

Mike s'empara avec enthousiasme d'une bouteille.

— Nous avons un rosato remarquable, à base de cabernet et de sangiovese. Fermenté en cuve puis passé brièvement en fût de chêne, il dégage un mélange d'arômes de fraise des bois et d'agrume. Il est charnu sans être trop lourd. Un excellent choix pour une belle journée de printemps comme aujourd'hui.

— Parfait, répliqua Nick. Je prendrai tout sauf celui-là !

Plus tard ce soir-là, couché près de Jordan endormie contre lui, Nick l'écoutait respirer. Après avoir passé l'essentiel de l'après-midi au Domaine de Kuleto, puis visité un autre vignoble plus petit, ils étaient rentrés épuisés au bungalow et avaient enfin inauguré la douche extérieure. Pour le dîner, ils s'étaient rendus au restaurant du complexe, un pavillon au bord du lac, niché entre les conifères et la montagne. Ils avaient réussi à obtenir une table en terrasse et avaient bavardé en admirant le coucher du soleil – de tout et de rien.

Ils n'avaient évité qu'un seul sujet : leur relation.

Le lendemain matin, ils quitteraient la vallée de Napa et regagneraient Chicago. Ensuite... ensuite, Nick n'en savait rien. Lui qui s'était toujours débrouillé pour entretenir des relations superficielles avec les femmes se sentait tout à coup perdu. Il n'était pas habitué à réfléchir à l'étape suivante puisqu'il n'y en avait pratiquement jamais eu. Mais Jordan Rhodes avait surgi dans sa vie et voilà qu'il se surprenait à la contempler dans le noir. Une réaction d'homme sentimental, introspectif. Tout le contraire de lui.

Non, il était un type rationnel, logique, et tout était clair dans son esprit. D'une part, il ne connaissait Jordan que depuis trois semaines. Trois semaines ! Dont quarante-huit heures passées ensemble, jour et nuit. D'autre part, franchir l'étape suivante avec elle présentait deux inconvénients : soit ils seraient contraints de se séparer pendant de longues périodes lorsqu'il partirait en mission, soit il devrait envisager de changer de carrière.

Le seul fait d'y songer lui paraissait ahurissant. On ne prenait pas ce genre de décision au bout de quarante-huit heures.

Sauf que...

L'alternative consistait à dire adieu à Jordan dès que l'enquête Eckhart aurait pris fin. Et cette idée lui était insupportable. Il aimait l'avoir près de lui, dans son lit, et avait envie de l'y accueillir plus souvent. Beaucoup plus souvent...

En d'autres termes, il voulait tout. Or c'était impossible... Un détail supplémentaire compliquait la situation : il ignorait quels étaient les sentiments de Jordan à son égard. Certes, il était conscient de lui plaire, mais pas une fois elle n'avait évoqué ce qui se passerait après leur retour à Chicago. Peut-être avait-elle peur d'y songer. Peut-être était-elle incapable de répondre elle-même à cette question. Peut-être était-elle aussi perplexe que lui...

Nick n'avait jamais tourné autour du pot avec une femme. Mais cette conversation, et Jordan elle-même le décontenançaient. Car pour être franc, au fond de lui, il comptait sur elle pour lui dire ce que d'autres n'avaient jamais eu la chance d'avouer. Par exemple, que pour elle, ce week-end ne se résumait pas à une parenthèse.

Jordan bougea et se blottit contre lui, le repoussant vers le bord du grand lit. Il ne put s'empêcher de sourire tout en se refusant à céder – même dans son sommeil, elle voulait tout contrôler !

Belle, intelligente, couronnée de succès, Jordan était sans aucun doute la femme la plus remarquable qu'il eût jamais rencontrée. Elle n'avait besoin de rien ni de personne. Pourtant, l'homme de Cro-Magnon en lui rêvait de lui être indispensable.

Il l'avait suivie jusqu'ici. Il avait même, avec plus ou moins de bonne volonté, participé à toutes les dégustations. Il lui avait clairement dit qu'il lui épargnerait le discours habituel sur son refus de s'engager. Par conséquent, à ses yeux, c'était à elle de faire le premier pas. Bien sûr, elle l'avait gâté, mais il voulait davantage. Aussi étrange que cela puisse paraître, pour une fois il éprouvait l'envie de parler sentiments. Mais il refusait de se lancer : après tout, il avait sa fierté !

En revanche, il pouvait lui montrer ce qu'il ressentait.

Doucement, il se glissa entre les jambes de Jordan en couvrant sa gorge de baisers pour la réveiller. Elle poussa un soupir de satisfaction et lorsqu'elle ouvrit les yeux, elle lui sourit.

— Salut, toi ! murmura-t-il en lui effleurant la joue.

— Je rêvais de toi, lui confia-t-elle en s'accrochant à son cou. Mais ça, c'est encore mieux…

Malgré tout son orgueil de mâle, s'il avait été un de ces types hypersensibles, il aurait su à cet instant précis que son sort était scellé.

29

Le lendemain matin, alors qu'ils préparaient leurs bagages, Nick reçut un appel de son patron. Il n'en fut pas surpris – il avait même plus ou moins attendu ce coup de fil pendant tout le week-end.

— Content de vous entendre, patron ! s'exclama-t-il d'un ton enjoué, en sortant sur la terrasse.

— Qu'est-ce que vous fichez dans la vallée de Napa ? aboya Davis.

— Nick Stanton s'est dit qu'il avait droit à un peu de bon temps. Le marché de l'immobilier est en plein boom.

— Épargnez-moi vos sornettes ! Dois-je vous rappeler que vous êtes au beau milieu d'une enquête ?

— Ma mission consiste à faire semblant de sortir avec Jordan Rhodes. Je ne vois donc aucun mal à me trouver ici avec elle. D'autant que j'ai contacté Huxley et les autres agents de l'équipe à plusieurs reprises durant mon absence. Eckhart est au fond de son lit avec une grippe intestinale. Il a rendez-vous avec Trilani mardi matin et je serai de retour en ville avant cela. Je reviens aujourd'hui.

— Vous avez réponse à tout ! grogna Davis.

— Vous n'attendez rien de moins de ma part, patron.

— Ce que j'attends, c'est que vous vous rappeliez que vous êtes un agent du FBI !

— Croyez-moi, je ne l'oublie pas, riposta Nick d'un ton sec.

Davis marqua une pause, sans doute surpris par sa véhémence.

— Très bien, Nick. Vous semblez maîtriser la situation. Je suppose que vous avez mérité une petite permission.

— Merci.

— Une question : gang de motards violents ou délit d'initiés ?

— Vous voulez mon opinion ? D'une manière générale, je réprouve les deux.

— Tant mieux. Parce que vous allez devoir choisir. Personnellement, j'opterais pour le délit d'initiés, rien que pour profiter du train de vie. Vous vous feriez passer pour un trader, on pourrait peut-être vous offrir une voiture encore plus chic que la Lexus. Cela étant, Pallas m'a fait jurer que je lui confierais la tâche de vous apprendre à conduire une grosse cylindrée si vous préférez le gang des motards.

Nick demeura silencieux. Une nouvelle mission, déjà ! Tout allait trop vite.

— McCall, vous êtes toujours là ?

— Oui, oui. J'étais en train de me dire que cette conversation me paraissait prématurée. Le dossier Eckhart n'est pas encore clos.

— D'après Huxley, vous êtes tout près du but. Il pense pouvoir boucler l'affaire après le rendez-vous entre Eckhart et Trilani mardi. Vous n'êtes pas d'accord ?

— Si.

— Tant mieux ! En plus d'être privé de vos services, j'ai trois agents qui vivent quasiment dans la fourgonnette stationnée aux abords du *Bordeaux* depuis deux semaines. Plus vite nous aboutirons, mieux nous nous porterons. Je sais que vous devez vous rendre à New York mais dès que vous serez rentré, j'aimerais commencer votre préparation…

Nick connaissait le système par cœur. Il fonctionnait ainsi depuis plusieurs années, passant d'une mission à l'autre sans se poser la moindre question. Mais à présent…

Par la fenêtre, il vit Jordan debout près du lit, en train de ranger sa robe blanche dans sa valise.

Que cela lui plaise ou non, le moment était venu de prendre une décision.

Jordan commençait à s'inquiéter.

Nick se comportait d'une manière très étrange depuis qu'il avait reçu ce coup de téléphone à l'hôtel. Comme la fois où il avait eu un appel d'un certain Ethan lors de la réception d'Eckhart. Il avait sûrement un problème. Certes, il s'était efforcé de dissimuler ses soucis pendant le voyage, mais son regard l'avait trahi.

À deux reprises, elle lui avait demandé ce qui le tracassait. En vain. Elle aurait volontiers employé une tactique plus efficace mais laquelle ? Apparemment, il réagissait plutôt bien à la méthode string et talons hauts… un détail à garder à l'esprit.

À leur arrivée chez elle, Nick posa sa valise dans le vestibule et monta celle de Jordan dans sa chambre. L'œil rivé sur le bagage, Jordan ruminait, de plus en plus angoissée. Si elle lisait entre les lignes, si elle se perdait en conjectures à propos de l'attitude mystérieuse de Nick – elle n'en avait aucune envie mais dans la mesure où il restait muet comme une carpe, elle n'avait guère le choix – elle ne pouvait parvenir qu'à une seule conclusion : il n'avait pas l'intention de passer la nuit avec elle.

Tout à coup, elle crut comprendre le problème : elle ne l'avait invité que pour un week-end et ce week-end était terminé.

En l'entendant redescendre, elle se ressaisit. Elle réagissait de façon excessive. Forcément. Elle lui plaisait et ils avaient passé deux jours inoubliables ensemble. À quoi bon se mettre dans tous ses états maintenant ?

Elle afficha un sourire.

— Merci.

— Combien de bouteilles de vin as-tu empilées dans cette valise ? s'enquit-il.

— En fait, ce sont des chaussures.

Elle s'efforça d'arborer un air décontracté.

— Bon, alors... si on abordait ce sujet que tu as soigneusement évité toute la journée ?

Nick opina.

— Oui. Désolé, j'étais préoccupé.

Il s'accorda un instant de répit, comme s'il avait du mal à décider par où commencer.

— Ce coup de fil, ce matin, c'était mon patron. Il voulait me parler de ma prochaine mission.

Jordan cligna des yeux, sidérée.

— Comment est-ce possible ? Tu n'as pas encore terminé celle-ci !

— Eckhart a prévu de rencontrer Trilani mardi matin. Je pense qu'après ce rendez-vous, l'affaire sera dans le sac.

Le cœur de Jordan se serra. Déjà ! Bien sûr, elle savait que l'enquête allait se terminer tôt ou tard mais elle n'avait pas imaginé une fin aussi proche.

— Où vas-tu travailler ? Je suppose que tu as au moins droit à quelques jours de vacances ?

— Je dois rendre visite à ma famille à New York. J'enchaînerai dès mon retour.

« Et nous ? »

Jordan se retint juste à temps de prononcer ces paroles. Comme Nick demeurait impassible, elle se dit qu'elle s'était trompée, qu'en dépit de ses belles paroles et de leurs ébats passionnés, elle avait eu tort d'espérer davantage qu'une aventure sans lendemain.

En d'autres termes, elle n'était qu'une Lisa parmi d'autres.

Nick ne lui avait rien promis. Pas une fois il n'avait évoqué ce qui pourrait se passer lorsqu'ils reviendraient à Chicago. De son côté, Jordan avait évité d'en parler à dessein, par crainte de paraître trop insistante. D'autant que c'était elle qui avait fait le premier pas en lui proposant de l'accompagner dans la vallée de Napa. À lui de faire le suivant.

Mais apparemment, il avait décidé de se dérober.

Pourtant, Jordan n'était pas prête à abandonner la partie. Elle conserva son calme, résolue à entendre les arguments de Nick – si toutefois il avait quelque chose à lui dire.

— Quel genre de mission ? demanda-t-elle.

Ouf ! Elle avait réussi à s'exprimer d'un ton naturel.

— J'ai le choix entre un gang de motards et un délit d'initiés.

« Tu pourrais refuser l'un et l'autre. »

Elle garda cette pensée pour elle et tenta une autre stratégie. À quoi bon tergiverser ?

— Et nous, là-dedans ?

Nick hésita avant d'éluder la question.

— À ton avis ?

— Ce fut un week-end merveilleux.

Elle marqua une pause dans l'espoir qu'il prendrait le relais : *Pour moi aussi, Jordan. J'aimerais que notre histoire se poursuive. Peu importe où elle nous mènera – nous nous entendons si bien !*

Elle le dévisagea et il soutint cet examen sans ciller. Jamais ils n'avaient passé un aussi long moment sans parler.

Puis… le visage de Nick s'assombrit. Enfin, il prit la parole mais ce n'était pas du tout ce qu'elle avait envie d'entendre.

— Nous savons tous deux que notre aventure ne pouvait durer que le temps d'un week-end.

Elle sentit une douleur insoutenable la transpercer, mais s'efforça de n'en rien laisser paraître. Décidément, elle mentait de mieux en mieux, à son contact…

— Tu as dit que ton métier te compliquait l'existence. J'en déduis que nous en sommes là…

Nick la fixa de ses yeux verts.

— À vrai dire, avoua-t-il à voix basse, j'avais espéré que ce serait moins compliqué.

Ah ! C'était donc cela ! Il voulait éviter une scène. Sans doute était-il accoutumé aux explosions de rage de ses précédentes conquêtes. Mais Jordan avait sa fierté. Comme elle le lui avait déjà fait remarquer, elle était une grande fille. Elle ne crierait pas, ne pleurerait pas, ne le supplierait pas de rester. En revanche, elle voulait qu'il disparaisse au plus vite.

— Nous sommes des adultes, Nick. Inutile de nous répandre. Nous avons passé quarante-huit heures ensemble et nous voici de retour dans le monde réel. Tu as ton boulot avec toutes les règles et obligations qui en découlent et…

Il s'avança vers elle.

— Donc, c'est fini ?

Il s'était probablement attendu à ce qu'elle l'invite à passer au moins une dernière nuit avec elle. Mais plus il tarderait à partir, plus ce serait difficile pour elle.

— Il me semble qu'il vaut mieux se séparer maintenant. Vu les circonstances.

— Les circonstances ?

Il se redressa et croisa les bras.

— J'avoue que ce n'est pas ainsi que j'avais envisagé cette discussion.

Elle inclina la tête.

— As-tu une solution à proposer ?

« Dis-moi que tu n'as pas envie de me laisser ! »

— Je suppose que non.

Un silence pesant les enveloppa.

— Il vaudrait mieux que tu t'en ailles tout de suite.

— Cela me paraît sage, en effet.

Il se dirigea vers la porte d'entrée, puis s'immobilisa.

— Veux-tu que je te téléphone mardi pour te tenir au courant de l'évolution de l'enquête ?

— Bien sûr.

Il ramassa sa valise et Jordan sut que cette image resterait à jamais gravée dans sa mémoire. Pour l'heure, cependant, elle se devait de tenir jusqu'à ce qu'il ait franchi le seuil.

Une main sur la poignée de la porte, Nick se retourna pour lui lancer un dernier regard. Jordan se figea de surprise : il paraissait furieux !

— Merci pour ce week-end, Rhodes, marmonna-t-il, les mâchoires crispées. Je t'enverrai un chèque pour payer ma part de la chambre d'hôtel. Tiens ! Je pourrai même le compter en frais professionnels.

Quelle gifle ! Mais Jordan avait du mal à comprendre : de quel droit s'emportait-il contre elle ?

— Tu n'es pas obligé de te comporter comme un salaud.

— Moi, un salaud ? s'écria-t-il, incrédule.

— Est-ce que j'ai manqué quelque chose ? Parce que tout ce que j'ai dit, c'est…

— Pas la peine de le répéter, je ne suis pas sourd, gronda Nick en ouvrant la porte à la volée.

Jordan demeura clouée sur place, désemparée.

Quelle mouche l'avait piqué ?

30

Lorsque Kyle fit entrer Jordan dans son duplex, un homme en smoking apparut derrière lui.

— Bonsoir, mademoiselle Rhodes, dit-il en lui tendant la main. Puis-je prendre votre manteau ?

— Bien sûr. Merci.

Jordan jeta un coup d'œil vers son frère tandis que l'inconnu s'éclipsait discrètement.

— Tu as embauché un majordome ?

De la part de Kyle, ce ne serait pas étonnant.

Il passa un bras par-dessus son épaule et la serra brièvement contre lui.

— Non, papa a engagé un serveur pour la soirée. J'espère que tu es d'humeur à manger des sushis parce qu'il a soudoyé le chef du japonais pour nous faire la cuisine.

À vrai dire, elle n'était pas d'humeur à manger des sushis. Ni quoi que ce soit d'autre, d'ailleurs. Depuis vingt-quatre heures, une seule pensée l'obsédait : Nick. Il n'avait réagi à aucun de ses coups de fil. Elle avait tenté de le joindre trois fois sur son portable et lui avait laissé des messages. Peine perdue.

Vu la manière dont il l'avait quittée le dimanche, il était évident qu'ils s'étaient séparés sur un quiproquo. Ils allaient devoir faire des progrès en matière de communication. Un problème que Jordan avait l'intention de résoudre dès qu'il daignerait la rappeler.

Pour l'instant, elle devait faire face à sa famille. Ce soir, ils fêtaient le retour de Kyle. C'était la première fois depuis sa libération qu'ils se retrouvaient tous les trois.

— Papa n'a pas lésiné sur les moyens.

Grey les attendait dans la salle à manger, un verre de scotch à la main.

— Que veux-tu que je te réponde ? Ce n'est pas tous les jours qu'un homme célèbre la sortie de prison de son fils… Tu as intérêt à m'assurer que c'est la première et la dernière fois, ajouta-t-il en étrécissant les yeux.

— Je te le promets, papa, répliqua Kyle.

Ils prirent place autour de la table dressée de cristal, de porcelaine fine et de couverts en argent.

— Justement, à cette occasion, j'ai apporté quelque chose, déclara Jordan en présentant à son jumeau un sac au logo de sa boutique. J'imagine que tu n'as pas bu un bon vin depuis quelque temps.

Kyle parut touché.

— Tu n'aurais pas dû, Jordan. Toutefois, je le boirai avec plaisir.

Il examina l'étiquette et lui coula un regard noir.

— Très drôle…

Grey se pencha en avant.

— Qu'est-ce que c'est ?

— Un orin-swift. Cuvée *Le prisonnier*.

Leur père s'esclaffa et Jordan afficha un sourire innocent.

— Il se trouve que c'est l'un de mes préférés, avoua-t-elle.

Tandis que le serveur leur apportait les plats, Jordan et Grey laissèrent parler Kyle, ne sachant pas s'il souhaitait ou non évoquer son incarcération. Il avait surtout beaucoup de mal à croire qu'on l'avait relâché.

— Quel dommage ! Je n'ai pas pu saluer une dernière fois mes codétenus, blagua-t-il. En fait, Puchalski était le seul type que j'appréciais. Je ne comprends toujours pas ce qui lui est passé par la tête.

Jordan ne tenait pas à s'étendre sur ce sujet.

— On dirait qu'il a pété les plombs, tout simplement.

— Mais pourquoi avait-il caché une fourchette dans sa chaussure ? insista Kyle. C'est à croire qu'il avait planifié son attaque, ce qui n'a aucun sens.

Elle haussa les épaules.

— Peut-être était-ce une habitude ? Qui sait ce qui traverse l'esprit de ces malfrats ?

— Dis donc ! J'en suis un, moi aussi !

Grey inclina son verre.

— Et qui aurait cru que tu commettrais un tel délit ?

— C'est à cause de Twitter, grommela Kyle.

— Si on parlait d'autre chose ? suggéra Jordan, sentant que la conversation glissait sur un terrain dangereux.

— Très bien. Parlons de toi, proposa Grey. Je n'ai pas eu l'occasion de te poser la question : comment était la réception de Xander ?

— Comme à l'accoutumée…

Elle sollicita Kyle du regard.

« Au secours ! »

Il la fixa d'un air ahuri.
« Quoi ? »
Elle l'implora en silence.
« Raconte n'importe quoi ! »
— À propos de vin, Jordan, es-tu satisfaite de ton voyage dans la vallée de Napa ? lança Kyle.
« De mieux en mieux ! » pensa-t-elle, anéantie.
— Oh oui ! J'ai visité un nouveau vignoble. Je compte traiter avec eux cette semaine afin d'être le premier magasin à vendre leurs produits à Chicago.
— Tu as emmené le grand brun ténébreux avec toi ? s'enquit Grey d'un ton neutre.
Jordan posa ses couverts et contempla son père, qui lui adressa un sourire insolent.
— Toi aussi, tu as lu *Vu et Entendu* ?
— Certainement pas ! protesta Grey. Les autres s'en chargent pour moi. La moitié du temps, c'est le seul moyen pour moi d'avoir de vos nouvelles. Et je t'interdis de te dérober. Qui est cet homme que tu fréquentes ? Je trouve bizarre que tu ne l'aies jamais mentionné.
Jordan prit une profonde inspiration, soudain lasse de tous ces mensonges et de ces petits jeux d'agents secrets. De toute façon, tôt ou tard, il faudrait bien affronter la vérité.
— À ta place, papa, je ne m'inquiéterais pas. Le grand brun ténébreux a décidé de m'ignorer.
Le visage de Kyle s'assombrit.
— Quel salaud !
Grey acquiesça, l'air désapprobateur.
— Je suis d'accord. Tu mérites mieux que cela, ma fille.
— Merci. Malheureusement, ce n'est pas aussi simple. Il exerce un métier qui présente certains... inconvénients.

« Espèce d'idiote ! »

— Ah bon ? Et que fait-il ?

Jordan hésita. Peut-être s'était-elle un peu avancée en se promettant de ne plus mentir. Une fois de plus, elle se tourna vers Kyle.

« Au secours ! Encore ! »

Kyle se cala dans sa chaise et croisa les mains.

— Peu importe ! Envoie-moi son adresse électronique, Jordan, je me charge de lui. Il me suffira de quelques minutes pour créer le chaos dans son existence.

Avec un sourire diabolique, il fit mine de taper sur un clavier.

Grey n'apprécia pas du tout la plaisanterie.

— Pas question de plaisanter avec ça, Kyle ! Tu viens de purger une peine de prison pour tes bêtises, j'espère que cela t'a servi de leçon. Tu...

Tandis que leur père se lançait dans un interminable sermon, Jordan remercia son frère d'un sourire.

Kyle lui adressa un clin d'œil complice.

Jordan aurait dû se rendre compte que son frère n'en resterait pas là.

— Tu veux me raconter ? lui proposa-t-il dès que leur père se fut retiré.

Jordan poussa un soupir.

— Je ne saurais même pas par où commencer.

Quelque chose l'avait préoccupée tout au long de la soirée. Oui, elle en voulait à Nick de ne pas l'avoir rappelée mais... n'était-elle pas un tout petit peu responsable de leur dispute ?

Elle fit tourner distraitement le pied de son verre entre ses doigts.

— As-tu parfois l'impression que nous sommes... trop renfermés ? Que nous avons peur d'exprimer nos sentiments ? Nous avons une fâcheuse tendance à nous moquer de tout, dans la famille.

— Maman était la plus expansive de nous tous. Après sa mort, nous nous sommes repliés sur nous-mêmes… Cela étant, nous nous en sortons plutôt bien, je trouve.

— Mais vis-à-vis des autres ?

Kyle haussa les épaules.

— J'ai crashé le site Twitter après avoir découvert que ma petite amie me trompait. Un geste plutôt démonstratif, non ?

— Tu aurais pu te contenter de lui expliquer à quel point tu étais blessé, argua Jordan avec douceur.

Kyle garda le silence. Ils avaient beaucoup discuté de l'incident Twitter, mais sans jamais évoquer les sentiments qui avaient poussé son frère à de telles extrémités. Elle avait eu la sensation qu'il avait du mal à admettre que lesdits sentiments existaient.

— Se dévoiler, c'est prendre des risques, Jordan, déclara-t-il enfin. Une fois certains mots prononcés, on ne peut pas les reprendre.

Ce n'était pas faux. Toutefois, s'il fallait choisir entre rassembler son courage et s'exprimer clairement ou devenir une cyber-terroriste, la première alternative n'était-elle pas la meilleure ? Certes, Nick aurait pu lui faciliter la tâche en évitant de se comporter comme un imbécile, mais Nick était un homme complexe. C'était précisément ce qu'elle appréciait chez lui. La plupart du temps, du moins…

Elle reprit son souffle.

— Kyle, je… je crois que j'ai fait une erreur. Même si le grand brun ténébreux est autant à blâmer que moi. Peut-être même un peu plus. Je suis prête à parier qu'il boude dans son coin en se disant que je suis la seule coupable. C'est ce qu'il y a de plus frustrant chez lui. Il… il vous pénètre dans la peau. Un peu comme une tique, un chardon, une épine ou encore…

— La gale ?

— Quelle horreur ! Tu n'as rien de mieux à me proposer ?

Kyle la dévisagea comme si elle avait perdu la tête.

— Je ne comprends rien à ton discours, Jordan. Mais si tu penses avoir commis une erreur, permets-moi de te poser une question – celle que tu m'as posée il y a cinq mois : « Peux-tu la réparer » ?

Jordan poussa un soupir.

— J'essaie…

— Fais davantage d'efforts.

— D'accord… D'accord, chuchota-t-elle.

31

Il était 10 heures précises et Jordan s'apprêtait à ouvrir la boutique.

Nick ne l'avait toujours pas rappelée, mais ce n'était pas grave. S'il refusait de prendre ses coups de fil, tant pis ! Elle se rendrait à son « bureau » pour lui parler de vive voix. Elle espérait déceler en lui ses propres sentiments, sans y croire vraiment. Elle s'aventurait en territoire inconnu et si elle réfléchissait trop, elle risquait de retomber dans ses travers en se repliant sur elle-même...

Elle savait que Xander et Trinali devaient se voir dans la matinée. Par conséquent, Nick serait occupé une grande partie de la journée. Elle se concentra donc sur ses tâches. Lorsque à 10 h 22, elle constata qu'elle les avait toutes accomplies, elle chercha un autre moyen de se distraire. Elle envisageait de reclasser ses vins en fonction de leur cépage et de leur origine géographique quand le carillon de la porte d'entrée sonna.

« Un client ! Merci, mon Dieu ! »

Jordan pivota sur elle-même et son sourire se figea en découvrant... Xander Eckhart.

Elle s'empressa de masquer sa surprise. Apparemment, Xander et Trilani avaient repoussé leur rendez-vous. N'ayant aucune nouvelle de Nick depuis dimanche, Jordan n'était au courant de rien.

Elle opta pour sa méthode habituelle face à une situation imprévue : elle se comporta le plus naturellement du monde. Du moins s'y efforça-t-elle.

— Xander ! Quel plaisir de vous voir ! Cela fait au moins deux semaines.

— Depuis ma soirée, en effet.

— Comment allez-vous ?

Pourvu que sa voix ne la trahisse pas ! Elle n'aurait pas cru revoir Xander avant… longtemps, ce qui était absurde, puisqu'il faisait partie de ses clients les plus fidèles.

« Tiens bon ! » se recommanda-t-elle. Elle avait réussi à jouer son rôle pendant la soirée, elle pouvait sûrement échanger quelques banalités avec lui pendant qu'il se promenait à travers les rayonnages. Ils étaient si proches du but – le FBI achevait son enquête. Ce n'était pas le moment de tout gâcher.

Un frémissement lui parcourut l'échine. Pourquoi était-il là ?

Xander passa sans s'arrêter devant les nouveautés exposées à l'avant du magasin.

D'habitude, il s'attardait systématiquement devant cet étalage. Le snob qu'il était ne pouvait pas résister à la tentation, ne supportait pas l'idée qu'un nouveau cru sorte sans qu'il soit au courant.

Jordan ravala sa salive.

Aussi discrètement que possible, elle glissa une main sous le bar et appuya sur l'alarme.

— Comment je vais ? Pour être franc, Jordan, pas bien. Pas bien du tout.

— J'en suis navrée. Vous avez un souci ?

Comme il se rapprochait, Jordan nota son regard glacial.

— En effet. J'ai découvert qu'une personne en qui j'avais confiance m'avait menti. Trahi.

Il s'immobilisa en face d'elle.

Il y eut un long silence.

— Expliquez-moi pourquoi vous avez fait cela, dit-il enfin. Mais je vous préviens, Jordan, si votre réponse me déplaît, vous pourriez vous en mordre les doigts !

Plongeant une main à l'intérieur de son manteau, il en sortit un revolver qu'il braqua sur elle.

— Or j'ai la nette impression que votre réponse va me déplaire.

Nick arpentait son faux bureau, attendant que son portable sonne.

Il avait demandé à Huxley de l'appeler dès que Trilani arriverait au *Bordeaux* pour son rendez-vous avec Eckhart, mais pour l'heure il était sans nouvelles.

Tout en allant et en venant dans la pièce, il essaya de ne pas penser à Jordan.

Parce qu'il était un homme, il avait du mal à l'admettre mais au fond, cette querelle avec Jordan l'avait complètement déstabilisé. En quelques jours, il était devenu fou : il avait cru mourir de jalousie en la voyant discuter avec le snob à écharpe, il avait fait appel à toutes ses relations pour qu'on libère son frère, il avait passé un week-end au pays du vin, lui qui n'y connaissait rien ; il avait même envisagé de changer de carrière pour elle. Puis ils s'étaient disputés et il était sorti de sa vie au pas de charge avec l'impression qu'elle s'était servie de lui.

De toute évidence, il perdait la tête.

Il ne connaissait qu'une seule solution pour redevenir lui-même : se couper totalement du problème. Autrement dit, oublier Jordan.

Ce qui le perturba encore plus.

Car la jeune femme avait réussi à s'immiscer en lui et bouleverser tous ses plans. Il avait été très heureux jusqu'à ce qu'elle survienne avec son vin, son impertinence, ses yeux bleus étincelants et son humour dévastateur. Nick aurait dû rire de se voir aussi paumé… Hélas, il n'avait pas esquissé le moindre sourire depuis qu'il l'avait quittée, le dimanche précédent.

Tout était arrivé si vite ! Il s'était dit qu'un jour ou l'autre, il en aurait assez de son travail et entreprendrait une lente transition vers une existence plus équilibrée. Jamais il n'avait imaginé vivre une telle relation avec une femme – si exaltante, si stimulante. Le plus effrayant dans cette histoire ? S'il avait été un de ces types sensibles et introspectifs, il aurait admis que ce qu'il éprouvait pour Jordan ressemblait fort à de l'amour. Seulement voilà, Nick McCall ne tombait pas amoureux. Ce n'était pas son truc.

À moins que…

Continuant à arpenter la pièce, il émit un flot de jurons typiquement brooklyniens dont un type sensible et introspectif n'aurait même pas pu deviner le sens.

Selon lui, il avait deux options. Plan A : continuer à éviter Jordan en espérant que son cœur cesserait bientôt de battre pour elle. Un jour, lors d'une réunion de famille, sa cousine Maria lui avait raconté ses problèmes avec son petit ami et avoué avoir lu dans un article de *Cosmopolitan* qu'il fallait compter la moitié de la durée de la relation pour se remettre d'une rupture.

« Rien de dramatique », songea-t-il. Car en calculant bien, Jordan et lui avaient été ensemble trois jours. Par conséquent, trente-six heures devraient suffire.

Il vérifia sa montre. Toujours rien de la part de Huxley. Mauvais signe...

Il se pencha donc sur le Plan B : oublier *Cosmopolitan* et accepter une bonne fois pour toutes qu'il ne guérirait jamais. Puis, agir en conséquence. L'avantage ? Il pourrait foncer à la boutique et l'accabler pour l'avoir mis dans un tel pétrin. Il ignorait comment se déroulerait leur conversation, mais il improviserait. Ou alors, il l'embrasserait à perdre haleine, jusqu'à ce qu'elle se rende compte à quel point la compagnie de l'autre crétin à écharpe l'ennuyait.

Excellente idée !

Le portable de Nick sonna et il vérifia l'écran. Huxley. Il était temps !

— On dirait qu'Eckhart a encore loupé un rendez-vous.

— Il est toujours malade ?

— Je n'en sais rien. Il n'a pas communiqué depuis son bureau de la matinée.

Nick éprouva une sensation de malaise. Eckhart ne s'était pas manifesté depuis deux jours et ils ne s'en étaient pas inquiétés, le croyant atteint d'une grippe intestinale. Mais les gens qui travaillaient pour Roberto Martino ne posaient jamais de lapin à ses hommes.

— Il s'est mis en mode silence radio. Ça ne me plaît pas.

— Vous croyez qu'il nous a démasqués ? s'enquit Huxley.

Nick marmonna un juron. Comment était-ce possible ? Qui avait pu le mettre au parfum ? Cependant, il avait suffisamment d'expérience en matière de missions d'infiltration pour savoir que si un agent lui posait cette question, la réponse était claire : oui, ils étaient démasqués.

— Il faut qu'on boucle cette affaire de toute urgence.

— Avons-nous assez de preuves pour l'inculper ?

— Il va falloir s'en contenter. Je téléphone à Davis pour le prévenir que nous allons procéder aux arrestations d'Eckhart et de Trilani !

Un bip lui signala un deuxième appel et Nick vérifia l'identité de son interlocuteur.

— Quand on parle du diable ! Soit Davis possède un sixième sens, soit il nous a mis sur écoute. Patientez un instant…

Il bascula sur la deuxième ligne.

— Je m'apprêtais justement à vous contacter, patron. On a un problème avec Eckhart.

— Lequel ? demanda Davis d'une voix laconique.

Nick lui expliqua qu'Eckhart ne s'était pas présenté à son rendez-vous avec Trilani. Lorsqu'il eut terminé, la question de Davis le prit de court.

— Où est Jordan Rhodes ?

— Dans sa boutique, je suppose. En principe, elle l'ouvre à 10 heures. Pourquoi ?

— Nous avons capté une communication depuis le fixe du magasin. Quelqu'un a appuyé sur le bouton d'alarme.

Jordan !

Nick avait déjà ses clés de voiture à la main. Il se rua vers la sortie.

— J'y vais !

Jordan fixa le revolver pointé sur elle. Elle s'efforça de conserver un ton calme.

— Xander. À quoi jouez-vous ?

Il resserra les doigts autour de la crosse.

— Contournez le bar. Lentement. Et allez baisser les stores.

Le téléphone fixe de la boutique se mit à sonner.

« L'entreprise de sécurité ! » songea-t-elle. Comme elle ne décrocherait pas, ils enverraient très vite une patrouille. Ce qui signifiait qu'elle devait distraire Xander jusqu'à l'arrivée des flics.

L'observant de plus près, elle s'aperçut qu'il ne s'était pas rasé depuis plusieurs jours. Ses yeux étaient cernés et un éclat rageur brillait dans ses prunelles.

— Je vous conseille de ranger votre arme afin que nous puissions discuter tranquillement.

— Et moi, je vous conseille de la fermer ! Allez baisser ces stores !

N'étant pas en position de protester, Jordan s'exécuta. Xander garda son revolver braqué sur elle.

— N'oubliez pas celui de la porte !

Il s'approcha d'elle et plaça le canon sur sa nuque.

— N'essayez pas de vous enfuir, ajouta-t-il.

Fermant les paupières, Jordan s'obligea à se maîtriser. En baissant le dernier store, celui de la porte, elle scruta la rue dans l'espoir d'apercevoir un passant, quelqu'un à qui elle pouvait faire signe. Pas de chance.

Elle jaugea la situation. Elle avait déjà dû gagner trois ou quatre minutes. La police était sûrement en route. En se retournant vers Eckhart, elle perçut la sonnerie de son portable dans l'arrière-boutique.

— Verrouillez tout, ordonna-t-il.

Elle obéit.

— À présent, retournez au milieu... Parfait. Maintenant, nous allons pouvoir parler sans risquer d'être interrompus.

— Épatant ! Vous allez peut-être enfin m'expliquer pourquoi vous me visez avec ce flingue.

— Épargnez-moi vos simagrées, Jordan. Je sais tout. Votre petit ami, Nick McCall, travaille pour le FBI. Vous l'avez amené à ma réception afin qu'il puisse placer des mouchards dans mon bureau... ça s'est passé au moment où vous m'avez attiré sur la terrasse, n'est-ce pas ?

— Mon petit ami s'appelle Nick Stanton et il bosse dans l'immobilier. Lors de cette soirée, je vous ai entraîné à l'écart pour parler de vin. Point final.

De sa main libre, Xander la gifla.

Prise de court, Jordan eut un mouvement de recul et trébucha contre le pied d'une table. Son poignet se fractura sur le carrelage tandis qu'elle tentait d'amortir sa chute.

Sa vision se brouilla tant la douleur était vive. Elle effleura sa joue et grimaça. Maintenant son bras gauche contre son corps, elle se hissa en position assise à l'aide de sa main valide et fit face à Xander.

Il l'observait d'un air satisfait.

— Alors ? minauda-t-il en s'agenouillant devant elle. Dites-moi la vérité.

Une fois de plus, il pointa le flingue sur sa tête.

Vu les circonstances, Jordan n'avait guère le choix. Elle eut recours à son prétexte coutumier.

— J'ai fait cela pour Kyle. Les agents du FBI m'ont poussée dans mes retranchements. Ils m'ont dit qu'ils s'arrangeraient pour que mon frère n'ait aucune chance de sortir de prison plus tôt que prévu et qu'ils rendraient sa vie infernale au sein du centre de détention... Kyle est mon jumeau, Xander, ajouta-t-elle en le dévisageant d'un regard suppliant. Je n'avais pas le choix.

Il parut hésiter. Puis son expression se durcit.

— Vous mentez ! C'est à la Une de tous les journaux : ils ont libéré votre frère. C'est *ça* que vous avez négocié avec le FBI.

— Croyez-vous que je sois assez naïve pour accepter que Kyle reste derrière les barreaux après ces mises en garde ? J'ai répondu que je refuserais de coopérer à moins que la procureure fédérale ne signe sa décharge.

L'espace d'un instant, Xander parut la croire.

Jordan se dit qu'elle avait marqué un point. Mais Xander hocha la tête.

— Bien tenté. Toutefois, je doute fort que vous auriez couché avec McCall s'il avait menacé votre frère.

— Notre relation était une mascarade. Grâce aux micros disséminés dans votre bureau, le FBI a su que vous faisiez filer Nick. Ils m'ont obligée à jouer le jeu – à feindre une relation amoureuse avec lui.

— Et cette escapade dans la vallée de Napa ? Elle faisait partie du lot ?

Prise de court, Jordan marqua une pause.

— J'avais prévu ce voyage d'affaires depuis des mois. Nick a pensé que ce serait plus convaincant s'il m'accompagnait.

Pourvu que Xander la croie !

— Félicitations, ma chère Jordan, vous êtes très douée, riposta Xander avec un rire froid. Je pourrais presque vous croire. Seulement voilà, vous ne m'aurez plus... Toute cette affaire a failli réussir.

Vous avez obtenu la libération de votre frère et trouvé un amant en même temps. Vous avez même réussi à vous offrir cette escapade romantique dans la vallée de Napa dont vous aviez toujours rêvé. Le tout, à mes dépens ! conclut-il, les dents serrées.

Il pressa le canon contre sa tempe. Sa main tremblait.

Jordan ferma les yeux.

— Vous avez détruit ma vie, siffla-t-il. À cause de vous, je vais tout perdre. Mes restaurants, ma demeure, ma collection de vins – l'argent de Martino a tout sali et les Fédéraux vont me confisquer l'ensemble.

Il appuya encore plus fort et Jordan retint un gémissement.

— Je vais finir en prison. À condition que Martino ne me descende pas avant cela. Je suis un homme mort, Jordan. À cause de vous.

Effarée, Jordan se rendit compte qu'elle n'avait absolument pas réfléchi à ce que deviendrait Xander après l'enquête. Peut-être n'en avait-elle pas eu envie ?

— Xander, je…

— Taisez-vous. Vous m'avez détruit et à présent, je vais vous rendre la pareille. Je fiche le camp d'ici. Je m'en vais dans un pays lointain où le traité d'extradition n'existe pas. Je passerai le restant de mes jours à surveiller mes arrières, à me demander qui m'atteindra en premier – le FBI ou Martino. Ce n'est pas ce que j'avais envisagé pour mon avenir. Mais j'aurai au moins la satisfaction de me remémorer votre visage à l'instant où j'appuierai sur la détente.

Il était désespéré. Des gouttes de sueur perlaient sur son front et Jordan comprit qu'elle avait devant elle un homme à bout de nerfs. Elle ravala sa peur et abattit sa dernière carte.

— Mon père vous paiera ce que vous voudrez !

Xander s'immobilisa. Elle avait capté son attention.

C'est alors qu'elle perçut des voix à l'extérieur.

Nick se gara devant la boutique juste à temps pour apercevoir deux policiers en uniforme de la police de Chicago s'approcher de l'entrée. Ils s'immobilisèrent à deux mètres de la vitrine tandis que lui se garait à la hâte au coin de la rue. Bondissant de sa voiture, il jaugea la scène – nota les stores baissés – et se précipita pour ouvrir son coffre. D'une main, il brandit son badge tout en s'emparant d'une mallette en métal.

— FBI, murmura-t-il.

— On nous a prévenus que vous étiez en chemin, dit l'aîné des deux.

— Avez-vous pris contact avec quelqu'un à l'intérieur ?

— Nous ne sommes là que depuis quelques secondes.

— Il s'agit peut-être d'une prise d'otage, dit Nick en ouvrant la mallette pour en sortir son arme de secours.

Entendant un véhicule s'arrêter derrière lui, il jeta un coup d'œil par-dessus son épaule et reconnut la Ford LTD Crown Victoria. Jack Pallas et son partenaire, Wilkins, en descendirent.

Pallas lança sans préambule, en tendant à Nick un gilet pare-balles.

— Quel est le plan ?

Nick enfila le gilet par-dessus sa chemise. C'était lui le chef. Il s'agissait de son enquête et – plus important – Xander Eckhart retenait *son* amie à l'intérieur. Pour rien au monde il ne laisserait à quelqu'un d'autre le soin de prendre les rênes.

— Je vais passer par-derrière, annonça-t-il. Jack, vous me couvrez. Wilkins – restez devant… Les deux autres serviront de renforts, le cas échéant.

— Wilkins, je vous préviens dès que nous serons dans la boutique, dit Jack en montrant le minuscule récepteur dans son oreille.

Wilkins en portait un aussi et tous deux étaient équipés de transmetteurs sous le col de leur veste de protection.

— Ne bougez pas avant mon signal, Sam.

Wilkins arma son revolver, prêt à réagir.

— Une deuxième équipe doit nous rejoindre d'ici à quelques minutes, expliqua-t-il à Nick. Vous ne voulez pas patienter ?

— Pas question !

Nick et Jack s'engagèrent dans l'allée. Pourvu que Jordan n'ait pas laissé la chaîne sur la porte ! Il jeta un coup d'œil vers Pallas tout en déballant son étui à crochets.

— Je m'occupe d'Eckhart. Vous, vous vous assurerez que la voie est libre – il se pourrait que Trilani soit avec eux.

Il se mit au travail en priant pour qu'il ne soit pas trop tard. Les images se bousculaient dans son esprit et soudain, il eut une certitude : il n'était qu'un imbécile. Son boulot, son statut, son orgueil – rien de tout cela ne comptait. Tout ce qu'il voulait, c'était protéger Jordan.

Les dents serrées, il se concentra sur sa tâche.

— Ce ne peut pas être la fin. Impossible. J'ai trop de choses à lui dire.

Il ne se rendit compte qu'il s'était exprimé à voix haute que lorsque Jack lui répondit :

— Vous allez bientôt en avoir l'occasion.

Nick le regarda dans les yeux.

— Je l'espère. Histoire de mettre les points sur les *i*, en fonction de ce que je vais découvrir en poussant cette porte, sachez que je n'hésiterai pas à abattre ce salopard !

Xander avait lui aussi entendu des voix.

— Qui est-ce ?

« Pourvu que ce soit la police ! » pria Jordan.

Tous deux observèrent la porte pendant ce qui leur parut une éternité. Comme il ne se passait rien, Xander relâcha légèrement son étreinte sur le revolver.

— On dirait qu'ils sont partis.

— Revenons-en à l'argent, proposa Jordan. Mon père peut vous virer la somme que vous voudrez en échange de ma libération. Cinquante millions de dollars, cent ? Ce qu'il vous faut pour vous volatiliser et vivre dans le luxe jusqu'à la fin de vos jours.

Xander eut un rictus méprisant.

— Le hic, c'est que je ne pourrai jamais toucher ce fric. Grâce à vous, les Fédéraux surveillent tous mes comptes.

— Mon frère a crashé le site Twitter à partir d'un ordinateur portable à Tijuana, au Mexique. Faites-moi confiance : lui et mon père sont capables de vous ouvrir un compte n'importe où, sous n'importe quel nom.

Xander se redressa et Jordan sentit qu'il tergiversait.

— Vous vous en sortirez…

— Taisez-vous !

Il la poussa à terre et sa tête cogna violemment le sol. D'une main, il essuya son front moite, puis il haussa le ton.

— Taisez-vous ! répéta-t-il. Vous m'empêchez de réfléchir !

Voyant qu'il s'apprêtait à la frapper avec la crosse de son arme, Jordan ferma les yeux et supplia en silence : « Mon Dieu, faites que je ne souffre pas trop ! »

Un coup de feu retentit à travers la boutique.

Elle ouvrit les yeux.

Xander eut un sursaut et lâcha son arme. Il plaqua une main sur son épaule, le bras ballant, les yeux écarquillés. Il se releva précipitamment et s'écarta de Jordan.

Nick se rua sur lui, le regard menaçant.

— Je vous avais dit de ne pas la toucher ! gronda-t-il.

Il saisit Xander par la gorge et le jeta à terre d'un geste brusque. Enfonçant un genou dans sa poitrine, il l'immobilisa et lui pointa son revolver entre les deux yeux.

— Qui est le dindon de la farce, maintenant, espèce de salaud ?

Xander demeura silencieux et immobile – sans doute sa meilleure initiative de la matinée. Nick le fixa un long moment d'un air glacial, avant de tourner la tête vers Jordan.

— Ça va ?

— Oui… Je crois que oui.

Elle se hissa sur un coude, son poignet calé contre sa poitrine.

— Vous êtes blessée, constata Nick en repoussant Xander, qui émit un gémissement... Vous pouvez m'expliquer ce qui s'est passé ? ajouta-t-il à l'intention de ce dernier.

— Elle a trébuché, elle est tombée.

— Très convaincant ! lança Nick avec mépris.

Quelqu'un s'était approché derrière eux et en se tournant, Jordan reconnut l'agent qui avait placé le bracelet électronique autour de la cheville de Kyle. L'agent Pallas, si sa mémoire était bonne.

— J'ai vérifié le sous-sol. Aucun signe de Trilani... Tout se passe comme vous le voulez ? s'enquit-il en avisant Xander.

Nick écarta son arme à contrecœur.

— Oui.

Il saisit au vol la paire de menottes que lui lançait l'agent Pallas et redressa Xander en tirant sur les pans de sa veste.

— Je vous en prie, résistez. Cela me réjouirait.

— Allez au diable, McCall !

Cependant, il tendit les bras sans protester.

Pallas se dirigea vers l'avant de la boutique et déverrouilla la porte.

— C'est bon ! annonça-t-il.

Un autre agent du FBI en gilet pare-balles et deux officiers en uniforme se précipitèrent à l'intérieur, l'arme au poing. Nick remit Xander à ses collègues et se dirigea vers Jordan.

Se penchant, il lui prit la main.

— Tu crois que tu peux tenir debout ? lui demanda-t-il d'une voix douce.

Cinq paires d'yeux se braquèrent sur elle dont celle de l'homme qui venait de la menacer avec un revolver.

— Sors-moi d'ici. Je t'en prie !

Nick opina. Il l'aida à se lever, l'entraîna vers la sortie en s'arrêtant pour interpeller le plus jeune des agents.

— Vous avez appelé les urgences ?

— Une ambulance arrive.

Nick contempla Xander, qui souffrait visiblement.

— Appelez-en une autre pour lui. Dites-leur de prendre tout leur temps.

— J'ai de plus en plus mal, avoua Jordan dès qu'ils furent dehors.

— C'est l'adrénaline qui s'estompe. Viens t'asseoir dans ma voiture en attendant les secours.

— Je préfère te mettre en garde : je risque de vomir tellement j'ai mal.

Une lueur vacilla dans les prunelles de Nick mais il se garda de répliquer. Il ne se comportait pas du tout comme à son habitude.

— Ne t'inquiète pas pour ça, la rassura-t-il.

Une fois qu'elle fut installée, il se redressa et se mit à aller et venir près du véhicule. Jordan l'observa, perplexe. À un moment, il s'immobilisa, passa une main dans ses cheveux et aspira une grande bouffée d'air. Puis il s'arrêta brutalement et vint s'agenouiller devant elle.

— Ça va ?

— Oui.

— Tant mieux.

Quand Nick la saisit par le cou et prit ses lèvres, Jordan oublia sa souffrance. Puis il s'écarta d'elle et la contempla d'un œil inquiet.

— Une seconde de plus et ce salaud t'aurait assommée avec la crosse de son revolver. Qui sait ce qu'il aurait fait ensuite ? Quand je pense à ce qui aurait pu arriver… J'aurais dû te le dire plus tôt, Jordan. Maintenant que l'occasion se présente, tu vas m'écouter jusqu'au bout, que cela te plaise ou non. Tu as surgi dans ma vie et tu l'as totalement bouleversée. Aujourd'hui, je suis paumé. Parce que je t'aime. Comme un fou !

Jordan esquissa un sourire, le regard voilé de larmes.

— J'ai moi-même deux ou trois choses à te dire. Non, en fait, je n'en ai qu'une. Refuse ta prochaine mission. Reste avec moi.

Nick la dévisagea.

— Pourquoi ?

— Parce que… parce que je t'aime aussi.

Elle poussa un soupir. Voilà, elle avait prononcé les mots fatidiques.

Jamais elle ne s'était sentie aussi bien.

Il la serra contre lui.

— Il était temps ! J'ai attendu trois semaines, nom de nom !

Il s'apprêtait à l'embrasser de nouveau quand une voix s'éleva derrière eux.

— Hum…

Jordan vit un homme aux cheveux gris en costume sombre. Elle constata aussi que les agents du FBI et les flics avaient envahi sa boutique.

— D'abord Pallas avec la procureure fédérale et maintenant, vous, grommela l'inconnu en secouant la tête. J'ai l'impression d'être un entremetteur… Wilkins ! Huxley ! aboya-t-il… La prochaine enquête impliquant une femme célibataire sera pour vous !

L'agent Wilkins brandit le poing.

— Merci, patron !

Huxley rajusta ses lunettes en souriant, visiblement enchanté.

— C'était une blague, bande d'idiots. Je suis trop vieux pour ces bêtises… Mademoiselle Rhodes, je suis Mike Davis, l'agent spécial en charge du bureau de Chicago. Vous n'imaginez pas combien je suis soulagé de vous voir en bonne santé... Bravo, McCall. Beau boulot. Comme toujours.

Une idée traversa soudain l'esprit de Jordan.

— Une seconde ! Comment avez-vous su que j'étais en mauvaise posture ? Le bouton d'alarme avertit la police, pas le FBI.

— Le lendemain de la réception de Xander, j'ai placé des écoutes sur les lignes téléphoniques de ton domicile et de la boutique.

— Je ne me rappelle pas en avoir discuté avec toi !

Nick eut un sourire insolent. Enfin, il était redevenu lui-même.

— Je t'avais dit que j'allais te surveiller, Rhodes.

Au loin, une sirène d'ambulance retentit.

— Sans vouloir passer pour une mauviette, accepterais-tu de m'accompagner à l'hôpital ?

Le regard de Nick se remplit de tendresse. Il lui caressa la joue.

— Si tu as besoin de moi, je ne te quitterai pas d'une semelle, je te le promets.

32

Il fut obligé de la laisser.

Par « respect du règlement » et pour assurer la « sécurité » de Jordan, on interdit formellement à Nick d'accompagner cette dernière au sein du service de radiologie. Il s'apprêtait à brandir son badge du FBI quand elle lui serra la main.

— Ne t'inquiète pas pour moi. Tu pourrais peut-être demander qu'on m'apporte un antalgique ? proposa-t-elle.

— Tu cherches à me distraire.

— Oui. Parce que je reconnais ce regard. Si tu commences à tirer dans le tas, toutes tes victimes passeront avant moi et là, j'aurai vraiment très mal !

Jetant un coup d'œil furieux sur l'infirmière, Nick se rendit bon gré mal gré dans la salle d'attente. Pour s'occuper, il téléphona à Davis.

— Savez-vous comment Eckhart a découvert le pot aux roses ?

— Aucune idée. Il refuse de parler, répondit Davis. Sauf pour réclamer son avocat, bien sûr. Comment va Jordan ?

— On s'occupe d'elle. Elle s'est fracturé le poignet. Vous direz à la procureure fédérale d'ajouter les charges d'agression, voie de fait et prise d'otage à l'encontre d'Eckhart.

Nick marqua une pause avant de continuer :

— Quand je retournerai au bureau, j'aimerais avoir un entretien avec vous. À propos de mon avenir professionnel.

Davis demeura silencieux quelques instants.

— Très bien, McCall. Je suis à votre disposition.

Nick aperçut deux hommes qui se précipitaient vers le comptoir d'accueil.

— Il faut que j'y aille, Mike. À bientôt.

Il coupa la communication et regarda le plus jeune des nouveaux arrivants s'en prendre à l'hôtesse.

Apparemment, Kyle Rhodes n'appréciait pas plus que lui qu'on l'empêche de voir sa sœur.

Nick s'approcha.

« Drôle de façon de rencontrer la famille. »

— Monsieur Rhodes... Si vous permettez, j'aimerais vous parler de Jordan.

Grey et Kyle se retournèrent. Avec ses cheveux blonds striés d'argent et son costume taillé sur mesure, Grey était fidèle à l'image que donnaient ses photos dans tous les magazines. Kyle, vêtu d'un pantalon cargo et d'un pull gris foncé, semblait prêt à se battre contre quiconque empiéterait sur son territoire. Quel contraste avec Jordan ! Elle avait beau avoir le sens de la repartie, elle paraissait beaucoup plus posée et raisonnable que son jumeau.

Grey lui adressa un regard interrogateur.

— Vous êtes ?

Nick lui tendit la main.

— Agent spécial Nick McCall. Tout d'abord, sachez que votre fille n'a rien de grave.

Kyle et Grey poussèrent un soupir de soulagement.

— Jordan a subi une rude épreuve, enchaîna Nick, mais c'est une femme...

« Incroyable. Forte. Brillante. Ravissante. Sexy en diable. »

— ... solide, acheva-t-il.

— Merci, agent McCall.

Nick leur désigna une alcôve où ils pourraient bavarder tranquillement.

— On raconte dans les médias que ma sœur a été agressée dans sa boutique, attaqua Kyle dès qu'ils furent seuls. Cela signifie-t-il que le FBI était sur l'enquête ?

— C'est plus compliqué que cela. Jordan a été malmenée par un dénommé Xander Eckhart, homme d'affaires local. Vous avez sûrement entendu parler de lui. Il y a eu une bousculade et elle s'est fracturé le poignet en tombant. Elle a aussi un hématome sur la joue. Eckhart était armé, mais Jordan a réussi à le distraire jusqu'à notre arrivée sur la scène.

Kyle et Grey se dévisagèrent, atterrés.

— Je ne comprends pas ! s'exclama Grey. Xander et Jordan sont amis. Ou tout du moins, ils se connaissent bien. Elle assiste à sa réception de la Saint-Valentin chaque année.

— Il était jaloux, c'est ça ? intervint Kyle. Je me suis rendu à plusieurs reprises dans ses clubs et chaque fois, il m'a demandé des nouvelles de ma sœur... Je parie qu'il l'a vue à sa soirée en compagnie de ce type – ce fameux grand brun ténébreux. L'imbécile qui refuse de lui parler.

L'imbécile en question eut un mal fou à ne pas s'emporter.

— Il n'a pas agi par jalousie, expliqua Nick. Du moins, pas directement. Eckhart s'en est pris à Jordan parce qu'elle avait coopéré à une enquête du FBI dont il était la cible. Eckhart l'a découvert – j'ignore comment – et a voulu se venger.

— Une enquête du FBI ? répéta Grey. Comment est-ce possible ?

— Nous avions besoin d'accéder au bureau d'Eckhart situé au sous-sol du *Bordeaux*. La réception de la Saint-Valentin était une occasion unique de pénétrer dans les lieux. Jordan a accepté de s'y rendre en compagnie d'un agent qui lui servait de cavalier.

— Tout cela me paraît très dangereux, commenta Grey.

— En effet, renchérit Kyle en s'avançant d'un pas vers Nick. Il y a cinq mois, j'ai eu affaire au FBI. Je connais vos méthodes. Épargnez-nous vos explications vaseuses et dites-nous quelles menaces vous avez brandies sur ma sœur afin d'obtenir sa collaboration ?

En temps normal, Nick se serait énervé contre cet ex-détenu qui avait l'audace de s'approcher de lui. Mais celui-ci partageait son ADN avec la femme qu'il aimait, aussi opta-t-il pour la mansuétude.

— Je n'ai pas menacé votre sœur, Kyle.

— Ah non ? Elle a donc décidé de vous prêter main-forte par pure bonté d'âme ?

— Si vous voulez savoir ce qui l'a poussée à nous aider, je vous suggère de lui poser vous-même la question.

— Croyez-moi, j'en ai bien l'intention... Ma sœur est aux urgences avec un poignet fracturé et d'après ce que j'ai compris, elle a failli être tuée. Tout ça, parce que le FBI l'a placée en ligne de mire ! Par conséquent, j'aimerais savoir en quel honneur elle a…

Il se tut tout à coup.

— Non ! s'exclama-t-il. Ne me dites pas qu'elle a fait ça pour moi ?

Nick n'eut pas besoin de lui répondre.

Kyle recula de quelques pas et passa une main dans ses cheveux. Il demeura silencieux un moment, puis il secoua la tête.

— Nom d'un chien, Jordan !

Grey se racla la gorge et fixa Nick.

— Je serais curieux d'en savoir davantage sur l'agent qui a joué le rôle de son cavalier. Le mystérieux grand brun ténébreux.

Nick arbora son plus beau sourire.

— Je préfère qu'on m'appelle Nick.

Kyle eut un sursaut.

— *Vous ?* C'est vous, l'imbécile qui sort avec ma sœur ?

— Cela vous pose un problème ?

— Euh… oui. Plus ou moins. Parce que le dernier agent du FBI auquel j'ai fait face a failli m'arracher la cheville en me mettant ce fichu bracelet électronique. Alors vous pouvez aller vous faire voir !

Nick croisa les bras, sans s'énerver le moins du monde.

— Dans quel monde virtuel Jordan autoriserait-elle quiconque à décider à sa place ?

Il désigna l'entrée de la salle de radiologie avant d'enchaîner :

— Mais je vous conseille d'aller tout de suite lui réitérer votre déclaration. Une bonne rigolade lui fera le plus grand bien.

— Ma foi, il est aussi caustique qu'elle, bougonna Kyle.

Nick comprit qu'il avait réussi son examen.

Son sens de l'ironie venait de lui valoir d'être admis au sein du clan Rhodes.

Assise sur la table d'examen, Jordan regardait son plâtre.

— Combien de temps vais-je devoir le porter ?

— Six semaines, répliqua l'interne de service. Et débrouillez-vous pour le mouiller le moins possible. Je vous suggère de préférer les bains aux douches.

Jordan repensa à son dernier bain. Si elle voulait respecter cette consigne, mieux valait en interdire l'accès à un certain agent du FBI.

— Je vous ai prescrit un antalgique. Si votre bras vous démange, passez sur la coque un coup de sèche-cheveux en mode basse température. Si cela ne vous soulage pas, vous pourrez prendre un antihistaminique.

Après lui avoir prodigué toutes ses recommandations, le médecin les quitta. Jordan ramassait son sac, son manteau et les documents que lui avait remis l'infirmière quand une voix familière lui parvint depuis le seuil.

— Incroyable ! Tu essaies déjà de tout faire par toi-même.

Se retournant, elle aperçut Kyle, qui se précipita vers elle pour la décharger.

— Tu es là ! s'exclama-t-elle, surprise.

— Papa aussi. Nous avons foncé jusqu'ici en apprenant que tu avais été agressée dans ta boutique.

Kyle remonta le bas de son pantalon et montra son bracelet électronique.

— C'est rigolo, je croyais que ce machin devait avertir mon contrôleur judiciaire si je franchissais un certain périmètre. En patientant dans la salle d'attente, j'ai passé mon temps à craindre qu'une équipe de flics ne fasse irruption, arme au poing. Mais non… rien.

Il haussa les épaules.

— Tu sais quoi, Jordan ? J'en viens à me demander si ce truc fonctionne vraiment.

Jordan s'adossa contre la table d'examen. Vite ! Un cachet avant que cette conversation ne lui donne la migraine !

— Bien… Que sais-tu et que crois-tu savoir ?

Kyle pointa son index sur elle.

— Je sais *tout*, notamment que tu es la plus stupide, la plus obstinée, la plus maternelle… la plus merveilleuse sœur au monde ! s'écria-t-il en l'étreignant avec fougue. S'il t'était arrivé malheur, je ne me le serais jamais pardonné… Pourquoi t'es-tu embarquée dans une aventure pareille ? Je t'avais dit que je maîtrisais la situation.

Jordan pesa ses mots.

— Tu te rappelles ce que tu as ressenti en apprenant que j'avais été agressée dans ma boutique ?

— Oui. J'étais terrifié.

— C'est ce que j'ai éprouvé chaque jour que tu as passé au centre de détention.

— Oh, Jordan !

Il la serra encore plus fort et elle grimaça. Elle aurait volontiers prolongé cet instant de complicité entre jumeaux mais il lui écrasait le poignet.

— Kyle… aïe ! Au secours !

Il s'écarta, l'air penaud.

— Désolé. Combien de temps vas-tu devoir porter ce plâtre ?
— Six semaines.
— Mince ! Quand ils l'enlèveront, ton bras sera tout maigre et fripé.
— Trop aimable. Tu as dit que papa était venu avec toi ?
— En effet. Il est dans la salle d'attente, en train de cuisiner le grand brun sarcastique.
Jordan arrondit la bouche. Quelle catastrophe !
— Vous avez donc rencontré Nick ?
— Oh, oui ! Il a eu la gentillesse de m'informer que je n'avais pas mon mot à dire sur votre relation.
— Il a eu bien raison.
— Tu pourrais au moins faire semblant d'apprécier mon avis. Ce type te plaît, n'est-ce pas ?
Jordan ne put s'empêcher de sourire.
— Énormément. Il m'a sauvé la vie alors que j'étais menacée par un homme armé. Il me fait rire. Il est formidable !

Nick avait survécu à l'interrogatoire du père de Jordan, le rassurant quant à l'honorabilité de ses intentions. Il lui avait avoué sans sourciller qu'il était follement amoureux. Il ne lui restait plus qu'une initiative à prendre pour officialiser leur relation…

Il se servit des commandes de son tableau de bord pour composer son numéro, enchanté de retrouver sa voiture après avoir pu réintégrer son appartement. Il s'y était arrêté pour rassembler quelques affaires avant de déposer Jordan chez elle. Ses amis et Martin, qui avaient appris son agression, étaient tous venus prendre de ses nouvelles et Nick, la sachant parfaitement entourée, en avait profité pour s'éclipser.

Jordan lui avait demandé de s'installer dans sa demeure quelques semaines sous prétexte qu'elle aurait besoin d'un assistant jusqu'à ce qu'on lui retire son plâtre. Il avait accepté avec enthousiasme. Maintenant qu'elle l'avait attiré dans ses filets, il voulait faire les choses dans les règles.

La personne à l'autre bout du fil décrocha au bout de la troisième sonnerie. Son ton était sec.

— Tiens, tiens ! Tu n'as pas oublié mon numéro ? Pince-moi !

Nick sourit.

— Si je comprends bien, tu daignes m'adresser la parole de nouveau ?

Sa mère soupira.

— Je suppose que oui. Ils continuent à te harceler, au Bureau ? Toujours débordé par le boulot ?

Le cœur de Nick se serra. Certes, sa mère était parfois envahissante, mais elle était fière de lui et de son métier.

— J'ai procédé à une arrestation pas plus tard qu'aujourd'hui. Un propriétaire de restaurants et de night-clubs impliqué dans une affaire de blanchiment d'argent. Il travaillait en douce avec Roberto Martino – tu as dû entendre parler de lui dans la presse. Je suis donc libre pour le moment.

— Sais-tu ce que tu feras ensuite ?

— Aucune idée. Ce qui est sûr, c'est que je vais solliciter un changement de poste.

— Tu abandonnes les missions d'infiltration ? En quel honneur ? souffla-t-elle, en état de choc.

Nick reprit son souffle et se prépara à un feu de questions.

— Euh… voilà, maman, c'est que… euh… j'ai rencontré quelqu'un.

Silence.

— Allô ? Maman ? Tu es toujours là ?

Un sanglot étouffé.

— Non ! Ne me dis pas que tu pleures déjà ! Je ne t'ai encore rien dit sur elle.

— Aucune importance, Nick. Voilà des paroles que j'attendais depuis trente-quatre ans.

33

Aux alentours de 18 heures le lendemain, après une journée bien remplie passée au bureau, Nick frappa à la porte de Jack Pallas et glissa la tête dans la pièce. Épuisé après avoir passé des heures à remplir paperasses et déclarations en rapport avec le dossier Eckhart – tirer sur un suspect, si détestable soit-il, présentait certains inconvénients du côté administratif –, il avait envie de souffler.

Pallas se balança dans son fauteuil et lui fit signe de s'avancer.

— Je t'écoute...

— Nous avons découvert Trilani caché avec une ex-petite amie dans un studio au sud de la ville. En comptant Eckhart, nous totalisons vingt-neuf arrestations ces quatre dernières semaines.

— Je détiens toujours le record avec mes trente-quatre captures.

— Ça ne va pas durer, riposta Nick... Tu es libre pour boire un verre ? C'est moi qui t'invite.

Pallas le dévisagea, intrigué.

— Volontiers, à condition que ce ne soit pas dans un bar à vins en vogue. J'ai ouï dire que tu fréquentais de drôles de milieux, ces temps-ci.

— La procureure fédérale sait-elle que tu passes tes journées à colporter des ragots ?

Jack afficha un grand sourire.

— La procureure fédérale est enchantée qu'on parle enfin d'autre chose dans nos murs.

Ils se rendirent dans un bar sportif situé en face de l'immeuble du FBI. Après avoir commandé leur consommation, ils discutèrent un moment, pour l'essentiel de l'affaire Eckhart et du procès imminent de Martino. Après tous ces mois en mission d'infiltration, Nick se rendit compte à quel point ces échanges entre camarades lui avaient manqué.

Ce qui le mena au but de cette rencontre. Nick avait réfléchi à un moyen de poursuivre son métier d'enquêteur tout en dormant avec Jordan chaque nuit. Enfin, presque…

— J'ai annoncé à Davis que je renonçais aux missions d'infiltration.

Jack but une gorgée de son whisky sur glace.

— Je me demande bien pourquoi.

— Disons que j'ai décidé de redéfinir mes priorités.

Nick ne voyait aucune raison de tergiverser. Pallas était un type bien et un excellent agent.

— Ce n'est pas tout, reprit-il. Tu sais comme moi que Davis envisage de prendre sa retraite. Je lui ai déclaré ce matin que je souhaiterais éventuellement le relayer. Toutefois, je voulais que tu l'apprennes d'abord par moi. Au cas où tu lorgnerais ce poste, toi aussi.

— J'y ai songé, admit Jack après réflexion. Cependant, d'un point de vue politique, je doute que les huiles confient cette tâche à un agent plus ou moins fiancé avec la procureure fédérale du district… Dans la mesure où Cameron a atteint son but professionnel la première, ajouta-t-il avec une expression de fierté, j'ai moi aussi revu mes priorités.

Il marqua une pause.

— De surcroît, il paraît qu'on me trouve grognon.

Il se frotta le menton.

— Je me demande bien pourquoi, conclut-il. Toi, quand tu râles, personne ne s'en plaint !

— En effet. Mais je possède un charme inné qui me permet d'amadouer les plus sceptiques, rétorqua Nick… Alors ? Nous sommes d'accord ?

— Nick McCall, agent spécial en charge du bureau de Chicago ! décréta Jack en le gratifiant d'une tape sur l'épaule. Il y a pire…

Il porta son regard sur la télévision suspendue dans un coin.

— Voilà une vision dont je ne me lasse pas…

Nick se retourna. La procureure fédérale Cameron Lynde tenait une conférence de presse au sujet de l'inculpation de Xander Eckhart, de la prise d'otage aux *Caves Delavigne* et du lien avec le procès Roberto Martino. Tous deux admirèrent l'habileté avec laquelle elle traitait les questions des journalistes. Le reportage montra ensuite une courte vidéo concernant l'héroïne du jour, Jordan Rhodes, « riche héritière et femme d'affaires ». Une image de cette dernière apparut, élégante et sophistiquée comme toujours malgré un plâtre au poignet, descendant d'une Maserati.

Jack se pencha vers Nick.

— Tu n'as jamais l'impression que ces femmes sont trop bien pour nous ?

— J'ai frappé le dernier type qui a osé me dire ça.

— Et c'est moi qu'on traite de grognon !

Nick ricana, l'œil rivé sur l'écran. Tant pis si Jordan était trop bien pour lui. Il l'aimait.

Quatre jours plus tard, Nick s'installa sur le gigantesque canapé de Jordan. Assis à côté elle, il lui remit un boîtier noir.

— Allons-y...

Elle le dévisagea.

— C'est un pas considérable, Nick.

— Je suis prêt.

— Tu en es sûr ? Après, il sera trop tard pour revenir en arrière.

— Je veux officialiser notre relation... Allez ! Réagis ! Le suspense est insoutenable.

— Bien. Mais je t'aurai prévenu.

Jordan pointa la télécommande sur la télévision. Au bout de trois clics, Nick entendit les mots qui allaient sceller son destin pour toujours.

— Et maintenant, en direct, voici *Danse avec les Stars* !

Jordan se blottit contre lui tandis qu'un défilé de « vedettes » descendait le grand escalier jusqu'au plateau. Elle l'observa à la dérobée.

— Tu tiens le coup ?

Les yeux écarquillés, il chercha ses mots.

— Je... c'est encore pire que ce que j'imaginais, chuchota-t-il. À quoi servent les boutons sur les chemises de ces hommes ?

Horrifié, il contempla ces créatures bronzées à l'aérosol. Les paillettes et les plumes. Leurs visages enduits de fond de teint et leurs décolletés plongeants. Et il ne s'agissait que des hommes !

— Je rêve ou ce type porte de l'eye-liner ?

Jordan lui tapota le genou d'un geste affectueux.

— Il est encore temps de renoncer. Je suis persuadée qu'une chaîne diffuse un match de basket quelconque.

Nick fixa la télécommande sur la table basse. Il était très tenté. Mais il avait promis.

Il se concentra de nouveau sur l'écran, tellement sidéré par le spectacle qu'il remarqua à peine que Jordan s'était levée pour se diriger vers le bar. Il l'entendit ouvrir une bouteille. Puis elle l'enveloppa de ses bras et lui plaça un verre entre les mains.

— Bois. Ça te remontera le moral.

Nick baissa les yeux, s'attendant à voir un verre de vin. Au lieu de quoi, il découvrit un gobelet rempli de son liquide ambré préféré. Sur glace.

Un bourbon !

— Tu es extraordinaire, murmura-t-il.

Elle lui sourit.

— J'ai même prévu un emplacement spécial dans ma cave pour ranger la bouteille.

Nick posa son apéritif et attira Jordan sur ses genoux.

— Un emplacement rien que pour moi ? Voilà la preuve d'une relation sérieuse.

Il l'étreignit. Lorsqu'elle entrouvrit les lèvres pour recevoir son baiser, il glissa les mains sous son chemisier. Paupières closes, il s'abandonna.

— Je trouve très sexy que tu acceptes de subir cette émission pour me faire plaisir.

En un éclair, Nick comprit.

— C'est donc pour cela que les hommes la regardent ! s'écria-t-il. Ouf ! Me voici rassuré sur mes congénères.

Jordan ne put cacher son amusement.

— Et tout va pour le mieux dans le meilleur des mondes, plaisanta-t-elle.

Pour ce qui les concernait tous deux, c'était certain.

Découvrez les prochaines nouveautés
des différentes collections J'ai lu pour elle

Le 2 mai

Inédit **_Les fantômes de Maiden Lane - 3 - Désirs enfouis_** **Elizabeth Hoyt**

Silence Hollingbrook aime tous les enfants dont elle s'occupe à l'orphelinat, mais sa préférence va pour Mary Darling, qu'elle a élevée comme sa fille. Un jour, l'enfant est enlevée… par Mickey O'Connor, un voleur sans foi ni loi, qui prétend en être le père ! Si Silence ne veut pas être séparée de Mary, elle doit accepter d'habiter chez Mickey, celui qui, neuf mois plus tôt, l'a compromise et a brisé son mariage…

L'amant de l'ombre **Judith McNaught**

Quand Victoria Seaton revient en Angleterre après des années passées en Amérique, elle ne possède pas le moindre sou. Un lointain cousin l'adopte dans l'espoir de la marier à son fils, Jason Fielding. Pour Jason, le refus est formel. Toutefois, il accepte de trouver un mari à Victoria. Commence alors un défilé de prétendants auxquels Jason trouve toujours à redire. Car sous ses airs cyniques, ne cacherait-il pas une passion naissante pour Victoria ?

Inédit **_Sur la soie de ta peau_** **Loretta Chase**

À Londres, Marcelline Noirot est une brillante couturière qui rêve de se faire connaître. Pour cela, elle a une idée bien précise en tête : habiller la future épouse du duc de Cleveton, ce qui signifierait pour Marcelline prestige et renommée. Mais avant tout, elle doit convaincre le duc. Et si ce dernier est réputé pour son exigence extrême, il ne l'est pas moins pour ses mœurs libertines…

Le 16 mai

Inédit ***L'Inferno Club* - 2 - *Baisers maudits***

Gaelen Foley

Kate Madsen a été kidnappée par une bande de vauriens qui décident de l'offrir en cadeau au duc de Warrington. Craint et respecté de tous, le duc habite, paraît-il, un château hanté par les duchesses qui y auraient été assassinées au fil des siècles. Et aux ténèbres qui l'attendent s'ajoute un dangereux secret que Kate protège : elle est liée au Concile de Prométhée, les pires ennemis de l'Inferno Club, auquel appartient Warrington.

Inédit ***Les insoumises* - 3 - *Celia***

Madeline Hunter

Fille illégitime de la plus célèbre courtisane de Londres, Celia Pennifold hérite, à la mort de sa mère, d'une ravissante maison dans la capitale. Celia a des plans bien définis, elle en fera une boutique de fleurs ! Mais à sa plus grande surprise, elle découvre qu'il y a un locataire qui n'a nullement l'intention de s'en aller. Jonathan Albrighton est un homme mystérieux qui, dit-on, était très intime de la défunte...

Le frisson de minuit **Eloïsa James**

Après avoir repoussé vingt-deux demandes en mariage, Sophie York se résigne à accepter celle de Braddon, comte de Slaslow. Certes, la proposition de Patrick Foakes était bien plus excitante. Entre ses bras, Sophie perdait tout sens des convenances. Mais ce séducteur impénitent l'aurait maintes fois trompée. Quand un inconnu déguisé en Braddon tente de l'enlever, Sophie reconnaît Patrick. Et cède aux caresses de cet amant incomparable...

Le 2 mai

CRÉPUSCULE

Inédit ***Le cercle des immortels - Les Dream-Hunters - 3 - Le traqueur de rêves*** **Sherrilyn Kenyon**

Si Xypher vient d'être libéré des Enfers, c'est parce que le dieu Hades lui a accordé un mois sur Terre pour racheter ses fautes. Prêt à tout pour y parvenir, Xypher se lance dans une traque périlleuse à la recherche d'un puissant démon. Mais il est seul et a besoin d'aide. C'est donc vers la belle Simone, une coroner, qu'il décide de se tourner. Et pour contacter la jeune femme, une seule solution : s'insinuer dans ses rêves…

Les Highlanders - 4 - Une passion hors du temps **Karen Marie Moning**

De séjour en Écosse, Gwen Cassidy bascule accidentellement dans un gouffre… et se retrouve propulsée en plein XVIe siècle ! Et sa chute vertigineuse provoque le réveil d'un mystérieux Highlander qui dormait dans l'anfractuosité. De fait, cinq siècles plus tôt, un sort a plongé Drustan MacKeltar dans un sommeil surnaturel. Quand il reprend conscience, Drustan est émerveillé par la délicieuse créature devant lui, aux vêtements si impudiques…

Le 16 mai

PROMESSES

Inédit *Toi et moi* **Kristan Higgins**

Harper James est avocate spécialiste des affaires de divorce. Depuis l'échec de son mariage douze ans plus tôt, elle ne croit ni en l'amour ni aux hommes. Quand elle apprend que sa sœur va épouser le demi-frère de son ex-mari, le choc est énorme. Et la cérémonie aura lieu dans quinze jours ! Revoir Nick et affronter les blessures du passé ? Une chose est sûre, Harper n'est pas au bout de ses surprises.

Les Chicago Stars - 6 - Parfaite pour toi
Susan Elizabeth Phillips

Pour convaincre Heath Champion qu'elle est la meilleure conseillère matrimoniale de Chicago, Annabelle Granger emploie les grands moyens. L'agent sportif a décidé de convoler avec une femme qui sera le symbole de sa réussite ? Qu'à cela ne tienne, Annabelle lui présentera des créatures étourdissantes. Mais Heath est très exigeant. Et il devient très vite difficile pour Annabelle de satisfaire son séduisant client.

Et toujours la reine du roman sentimental :

« Les romans de Barbara Cartland nous transportent dans un monde passé, mais si proche de nous en ce qui concerne les sentiments. L'amour y est un protagoniste à part entière : un amour parfois contrarié, qui souvent arrive de façon imprévue.
Grâce à son style, Barbara Cartland nous apprend que les rêves peuvent toujours se réaliser et qu'il ne faut jamais désespérer. »

Angela Fracchiolla, lectrice, Italie

Le 2 mai
Le baiser du diable

Le 16 mai
L'espoir perdu